Selvaggia Lucarelli

Casi umani

*Uomini che servivano a dimenticare
ma che hanno peggiorato le cose*

Rizzoli

Pubblicato per

Rizzoli

da Mondadori Libri S.p.A.
Proprietà letteraria riservata
© 2018 Mondadori Libri S.p.A., Milano

ISBN 978-88-17-10185-1

Prima edizione: luglio 2018

Realizzazione editoriale: Librofficina

Casi umani

«Quando un uomo non sa più ridere di se stesso, è il momento per gli altri di ridere di lui.»

Thomas Szasz

A Leon,
che mentre la mamma faceva un sacco di cose
stupide, cresceva ostinatamente saggio e amorevole.
A Valentina Pitzalis,
perché ora si merita una vita bellissima.
A tutti gli uomini inetti che ho incrociato
lungo il cammino.
Perché, alla fine, ho trovato il modo
di fare qualcosa della loro inettitudine.
E a Lorenzo,
il mio risarcimento.

Introduzione

Dunque. C'è stato un periodo discretamente lungo della mia vita in cui mi pareva che avere un uomo accanto fosse una necessità fisiologica un po' come respirare, dormire, detestare le taglie 38 che dicono: «Io mangio tutto, ho il metabolismo alto».

Ero reduce da una storia emotivamente devastante e l'idea di dover fare i conti con il lutto sentimentale nel silenzio di una casa, senza il rito confortante di un'uscita a cena o di un messaggio su Whatsapp prima di andare a letto, mi appariva intollerabile. La conseguenza di questa incapacità di affrontare il dolore di petto è stata una carrellata di incontri surreali e di relazioni lampo con personaggi a cui oggi non concederei neppure il tempo di un caffè in piedi al bar dello stadio, ma che all'epoca furono investiti di un ruolo specifico: quello del traghettatore. Quello dell'uomo che serve solo a fare con te un pezzo di mare, prima di arrivare a terra. Certo, poi il traghetto affondava e io mi ritrovavo naufraga, come Tom Hanks e il suo pallone Wilson, dove Wilson era quel fidanzato immaginario che ti fa fare pace col mondo, ma questa è un'altra storia.

Questo libro non descrive la solitudine e la speranza (solitaria) di imbattersi in un uomo decente. Racconta il periodo dello stordimento: le compagnie strampalate, gli incontri assurdi, gli uomini in cui sono inciampata e che – se non avessi testimoni oculari – potrebbero sembrare frutto di fantasia, di un mojito di troppo o di una sfiga siderale e che invece, ahimè, sono personaggi comuni e realmente esistiti. E che a dirla tutta faccio fatica a definire "ex" perché sono semplici, evidenti, cristallini casi umani.

Ah, tra i casi umani ci sono anche io, naturalmente. Perché in quegli anni, nel tentativo disperato di dimenticare, sono riuscita a dimenticare una sola cosa con un certo talento: la mia dignità.

Non si lascia la gente così

L'inizio di tutto è il disgraziato giorno in cui il mio fidanzato dell'epoca mi lasciò. Non ero preparata, non ritenevo contemplabile il fatto di poter essere mollata, l'ipotesi non mi era stata annunciata in alcun modo e, soprattutto, era profondamente ingiusto. Non si lascia una donna perché è gelosa anche della tua segretaria lesbica sessantaduenne, perché ogni volta che devi partire per lavoro ti mette su il muso come se avesse scoperto un tuo passato di militanza in Casa Pound, perché i tuoi amici le stanno tutti irrimediabilmente sulle balle e l'unico che salva è quello con moglie e sei figli, visto che se ti chiama non è per invitarti a un aperitivo tra maschi ma per chiederti se hai della tachipirina sublinguale. Non la si lascia solo perché minaccia di mollarti con frasi definitive ma se poi non ti piazzi davanti alla porta per bloccarla tipo scudo umano sul fronte siriano dice: «Hai visto, non mi ami, non mi fermi neanche!». O perché trova scorretto non che tu senta ancora le tue ex e basta, ma che le tue ex siano ancora viventi e a piede libero, con diritto di parola, un profilo Facebook, un numero di cellulare attivo e cittadinanza italiana.

Insomma, questa cosa che il mio fidanzato mi lasciò fu davvero un trauma inatteso e immeritato.

Era una tranquilla giornata di settembre, avevamo progetti solidi per il futuro, tipo andare al mare a Sestri nel weekend, e io ero davvero innamorata per la prima volta nella vita. Del resto, si intuiva dalla maturità con cui gestivo la situazione e i miei sentimenti. Ero a letto che leggevo qualcosa aspettando che lui uscisse dal bagno. Lui non usciva. Era da almeno mezz'ora in bagno. Il suo cellulare era sul comodino, quindi non stava chattando con una spogliarellista estone, particolare questo che mi aveva trattenuta dallo sfondare la porta di testa a mo' di ariete medievale. Il bagno era senza finestre quindi non poteva essersi calato giù annodando gli asciugamani per una sveltina con la vicina ottantaduenne testimone di Geova. In bagno non c'erano né radio né televisore e neppure una vasca in cui trovarlo in ammollo. Non udivo voci, movimenti, lo scorrere dell'acqua. Mi alzai di soppiatto e sbirciai dal buco della serratura. Lo vidi seduto sul coperchio della tazza con la testa tra le gambe, le mani sulla nuca. Immobile. Pensai che forse s'era accorto che stavano cominciando a crescergli i peli sulla schiena. L'avevo notato tre giorni prima al mare ma non mi era parso il caso di dirglielo, aveva il terrore dell'invecchiamento e l'ipertricosi ne era un sintomo che lo atterriva. Oppure, mi dissi, ha scoperto che ho fatto tre tentativi di accesso al suo Facebook e ora deve cambiare la password. Bussai timidamente alla porta.

«Tutto bene?»

Silenzio.

«Ehi?!»

Ero in piedi, perplessa. Sentii il rumore dei passi, la chiave girare. La porta si spalancò, io accennai un mezzo sorriso, lui mi guardò serissimo.

«Senti, io ho bisogno di ritrovarmi. È finita, almeno per ora. Poi non so.»

Ve lo dico subito: incassai bene. Levitai e feci almeno due metri all'indietro tipo sacerdote a cui alita addosso l'Anticristo. Ritrovarmi finita-poi-boh-non-so. Dopo il breve fenomeno di autoesorcismo cercai di dialogare con maturità. Prima minacciai di uccidermi. Poi dissi che no, non serviva, tanto le difese immunitarie, per il dispiacere, mi avrebbero lasciata con un unico globulo bianco entro la mattina dopo e sarei morta di raffreddore. Poi gli annunciai di prepararsi a un devastante effetto butterfly, perché questa sua decisione avrebbe causato la rottura delle trattative tra Corea del Nord e Corea del Sud e una conseguente guerra termonucleare in Cina. Lui mi disse: «Com'è possibile?» e io risposi con un laconico: «Lascia fare!». Poi lo avvisai che comunque ormai avevamo lasciato una caparra al ristorante per il matrimonio e non potevamo tirarci indietro. Lui precisò che quella che io chiamavo caparra del matrimonio erano 10 euro da andare a ritirare dal kebabbaro sotto casa perché due sere prima non aveva il resto da darci. Feci miseramente leva sui sentimenti di mio figlio che ormai si era così tanto affezionato a lui che lo chiamava papà e lui mi ricordò che in realtà lo chiamava «coso». Mi inginocchiai, lo pregai, gli

lavai i piedi come la Maddalena a Gesù, promisi
di diventare saggia, matura, devota, di organizzare il cenone di Natale con le sue ex dalla seconda elementare al quarto anno di università e
di lasciarlo andare allo spettacolo di lap-dance
domenicale con i suoi amici, di realizzare tutte le
sue fantasie erotiche compresa quella in cui lui
lo faceva in una piscina d'hotel con me e un'altra donna ma quel giorno io avevo le mie cose
e rimanevo in camera, però non ci fu nulla da
fare. La decisione fu granitica e definitiva. Non
mi voleva più. Voleva ritrovarsi, sì, nel senso di
"single" e "su piazza". Io in compenso mi ritrovai IN UNA piazza con un paio di valigie, una
casa da trovare entro sera e uno stato emotivo di-
sastroso. E quando mi affrancai dal momentaneo
stato di rom, mi bastò mezza giornata in una casa
estranea senza di lui per capire che tutte quelle teorie sull'importanza di stare da sole dopo la
fine di una storia d'amore, del darsi il tempo per

elaborare il lutto, di capitalizzare quello stato per riprendersi i propri tempi e spazi, dell'imparare ad ascoltarsi erano una sacrosanta, immane, impareggiabile cazzata. Io mi ascoltavo e sentivo una voce che mi ripeteva: «Esci con qualcuno che te lo farà dimenticare e fagliela pagare». Quella voce petulante non smetteva di dirmelo. Era un autentico fenomeno di possessione.

E fu così che, anziché farmi investire dal dolore e aspettare che passasse (ora so che quella è la strada giusta), ebbi la raggiante idea di cercare in ogni uomo che incontrassi "l'uomo della mia vita". E pure se era evidente fin da subito che si trattava di un mitomane, di uno sfigato, di un egoriferito, di un egoista o più semplicemente dell'ennesimo caso umano, be', io individuavo sempre e comunque nel soggetto almeno una qualità stupefacente. Che so, era un competitivo vendicativo impotente col vizio del gioco e l'alopecia a chiazze? «Però fa bene il risotto» era il mio mantra motivazionale per farmelo piacere. Era un alcolizzato fascistoide collezionista di Puffi a quarantacinque anni? «Ha delle belle mani» bastava a farmi sognare una vita felice con lui.

Questa desolazione sentimentale travestita da "simpatica e vivace galleria di incontri" andò avanti per quattro interminabili anni in cui non imparai quasi nulla, a eccezione di una cosa preziosissima: se sei ancora innamorato di qualcuno che non puoi trattenere, trattieniti almeno dal fare una cazzata dopo l'altra. Quando si soffre, meglio starsene in disparte per un po', nell'attesa di tempi migliori. La compulsione consolatoria, nei secoli, ha fatto più danni del dissesto idrogeologico.

Giumenta Perfetta

La mia amica Giovanna ha sempre avuto un talento universalmente riconosciuto: quello di comprendere con rara perspicacia il livello di compatibilità delle sue conoscenze uomo/donna e di organizzare incontri che, con una frequenza commovente, si sono poi trasformati in incastri perfetti. Scherzando, le dico sempre che lei è un Tinder vivente, solo che, al contrario di Tinder, ha percentuali di fallibilità vicine allo 0,3 per cento. Quello 0,3 per cento, per la cronaca, nel suo curriculum sono stata io.

Comunque, torniamo a Giovanna. Con la sua lungimiranza, con il suo essere rabdomante di affinità tra i sessi, è riuscita, negli anni, ad accoppiare personaggi che avevano un futuro da gattara/osservatore di cantieri praticamente certo. Clamoroso fu il caso di una sua zia ex testimone di Geova la cui unica attività era cucire copriletti patchwork da vendere al mercatino solidale la domenica e che vantava un unico ex amore: Geova. Aveva cinquantadue anni, portava delle gonne realizzate da lei con gli scampoli di stoffa avanzati dai copriletti, era una delle rare sopravvissute agli anni '80 a cui ancora piacevano i mollettoni coi fiori di stoffa e aveva una casa che pareva pronta per una seduta spiritica di gruppo: tendoni rossi di velluto, candele sulle mensole sempre accese, sedie sempre capovolte sul tavolo come nei ristoranti chiusi perché «tanto se non devi mangiare meglio tenerle su, così lavo meglio il pavimento». Fisicamente era passabile, una biondina esile con occhi azzurrissimi e zigomi pronunciati ma con denti anarchici, ognuno in una direzione diversa, di cui due scheggiati sul davanti. Insomma, era un po' Michelle Pfeiffer caduta dalla scalinata di casa Scarface. Ogni tanto ce la portavamo a cena fuori per ricordarle che c'era un mondo oltre l'I-Ching, ma lei, anche solo a sentir parlare di uomini, si annoiava. Diceva che l'unico uomo che le piaceva era Paolo Crepet e che comunque lei era nata per sposare cause più alte, che grazie alla vendita dei suoi copriletti quelli dell'associazione avevano acquistato sei mesi di vaccini per i gatti di Piramide, a Roma, e «ditemi se è poco». Le società di scommesse davano un suo fidanzamento 110 a 1, più o meno quanto Gascoigne nuovo CT della Nazionale inglese e Wanda Nara ambasciatrice Onu.

Poi un giorno, mentre eravamo insieme a una lezione di zumba di quelle prese con Groupon, Giovanna incontrò un suo vecchio fidanzato del liceo. Un tipo piacente, un rappresentante di integratori che era lì per lasciare un catalogo e che in cinque minuti ci raccontò di aver divorziato sei anni prima da un'americana che, dopo averlo tradito con un noto attore porno, aveva deciso a sua volta di darsi al porno. Aveva superato una forte depressione grazie a dei corsi su come fare la birra in casa. Poi aveva capito l'importanza dello Zen come filosofia di vita. Insomma, una tristezza siderale. Al momento di salutarlo (subito), Giovanna, con mia grande sorpresa, gli chiese il numero di telefono. Quando gli domandai cosa diavolo se ne dovesse fare del numero di uno che avrà avuto il letto rivolto a ponente perché glielo dice il Feng Shui, mi rispose con lo sguardo oltre, quello di chi ha una visione: «Secondo me è perfetto per mia zia». Mi misi a ridere facendole educatamente notare che: a) lui aveva tredici anni meno della zia; b) la zia era stata sposata con Geova, lui con un'attrice porno; c) la zia mangiava solo radici e cose che si schifano pure in carestia, lui spacciava integratori iperproteici e secondo me pure anabolizzanti sotto banco; d) lui era fisicamente molto figo e si vestiva con gusto, la zia pareva una giostraia serba.

Una settimana dopo Giovanna li invitò a cena entrambi a casa sua, mescolandoli ad altri dieci amici tra cui me. Senza dire nulla delle sue trame né al maestro Feng Shui né alla giostraia. All'aperitivo i due si erano già presentati. A cena sedevano accanto. Al dolce erano dietro la tenda a pomiciare come adolescenti. A dicembre si sono sposati in Comune.

E intanto c'era ancora quello 0,3 per cento di errore per cui Tinder Giovanna non si dava pace. Negli anni, con me le aveva provate tutte. Il deejay di fama internazionale, l'insegnante di lettere antiche, il cabarettista, il vulcanologo, il fisioterapista, il food blogger, il ristoratore, il fotografo, il regista, l'atleta olimpico, l'immobiliarista, il radiologo, il primario, il chiromante, lo schizofrenico sotto terapia. Aveva pescato da vecchie rubriche telefoniche, dal suo Facebook, dagli amici del marito, dagli amici del calcetto del marito ma nulla: ogni volta che mi invitava a una cena in cui «vedrai che c'è uno che secondo me ti piace» non era un colpo di fulmine, anzi io confidavo in un colpo di fulmine di natura meteorologica che lo incenerisse all'istante e mi risparmiasse l'agonia di dargli corda fino al caffè. Oddio, con qualcuno poi ogni tanto c'è stata una cena, un qualche successivo ammiccamento, ma generalmente erano i classici rapporti che iniziavano con un paio di Whatsapp forzatamente ottimisti e articolati e che poi finivano con il pollice in su come risposta universale per tagliar corto. Giovanna non capiva perché con me il suo proverbiale fiuto da cane da matrimonio fallisse così miseramente.

Poi, un giorno, andai a trovarla nel suo ufficio in pausa pranzo e caso volle che ci fosse l'amministratore delegato del gruppo di profumi e cosmetica per cui lei lavorava. Un tizio belloccio sulla quarantina che Giovanna aveva visto una volta descrivendolo come una specie di dio greco. Lo incontrammo di nuovo a pranzo, sedeva al tavolo accanto con il superiore di Giovanna, e con nostra grande sorpresa venne a presentarsi, ci offrì il caffè, rimase a fare due chiacchiere e alla fine mi chiese il numero di telefono. Dissi alla mia amica che finalmente le era riuscito di farmi incontrare un uomo decente ma lei sostenne che in quel caso era stata solo un tramite fortunato e giurò e spergiurò che non c'era stata premeditazione. Il dubbio rimase, ma aveva poca importanza.

Io e Donato (così si chiamava) iniziammo a frequentarci. Donato era un uomo del Sud, aveva studiato in Francia, lavorato a New York per diversi anni ed era AD dell'azienda di Giovanna da appena due anni. Amava l'arte e la buona cucina, mi portava sempre a cena in luoghi ricercati e originali, era single, belloccio e pareva non avere ex fidanzate degne di una parentesi sul tema. Era brillante, era ricco senza doverlo ricordare al mondo con macchine cafone e abiti sartoriali, conosceva quattro lingue, era spiritoso e gli piaceva conversare di tutto, con la bizzarra predilezione per un tema specifico: mio figlio (che all'epoca aveva dieci anni). Non lo conosceva ma desiderava incontrarlo, solo che a me pareva troppo presto, visto e considerato che uscivamo insieme da un paio di settimane scarse e non eravamo neppure andati oltre qualche bacio sotto casa.

A ogni cena, ogni pranzo, ogni passeggiata sui Navigli, Donato andava sempre a parare lì: cosa piace a tuo figlio? Che carattere ha? Lo lasci giocare con i videogiochi? A che ora lo metti a letto? Come va a scuola? Lo mandi a catechismo? Che ne pensi dell'uso del cellulare a quell'età?... eccetera. Una raffica di domande che neppure un assistente sociale dopo che ti hanno sorpreso a sniffare coca in bagno con tuo figlio nel marsupio. Io, di fronte a questo amorevole interesse, provavo dei sentimenti contrastanti: da una parte ero commossa all'idea di aver finalmente incontrato un uomo che mostrava più attenzione per la quinta elementare di mio figlio che per la mia quinta di reggiseno. Dall'altra trovavo che ci fosse qualcosa di anomalo nell'insistenza con cui chiedeva come lo educassi, ma non capivo cosa. Fatto sta che a me Donato cominciò a piacere parecchio. Era un mese che ci conoscevamo e stavo anche meditando di organizzare il famoso incontro tra lui e Leon, ma c'era un altro piccolo particolare: c'eravamo visti quasi tutti i giorni, ci sentivamo continuamente al telefono, ci baciavamo con passione, ma di sesso manco a parlarne.

Un giorno era perché la mattina dopo aveva il consiglio di amministrazione, una volta perché non voleva bruciare le tappe, una volta perché aveva la madre a casa e così via, in un valzer di pretesti più o meno credibili che mi lasciavano interdetta. Giovanna diceva che probabilmente, visto che non aveva mai avuto una fidanzata seria, era sempre uscito con donne giovani, superficiali, interessate ai suoi soldi, e che con me gli era venuta un po' di ansia da prestazione. Non escludeva neppure il fatto che lui volesse distinguersi dalla brutalità spicciola con cui il maschio medio tenta di portarci a letto e che, visto il mio invaghimento, l'operazione pareva pure ben riuscita. Fatto sta che al secondo mese di uscite romantiche cominciavo a pensare di avere io qualcosa di sbagliato. Così una sera glielo dissi al telefono, di sfuggita, tra un paio di sue domande su cosa piacesse mangiare a Leon e sulla frequenza con cui si ammalava.

«Senti, è tutto bellissimo e tu mi piaci un sacco, ma perché eviti di venire a letto con me?»

Silenzio.

«Te lo dico domani a cena.»

Cioè, non aveva detto: «Ma che dici?» o: «Mi hai frainteso…». No, c'era una spiegazione che andava discussa a tavola.

Trascorsi la giornata successiva a fare ipotesi. È impotente. Ha subìto un'evirazione per vendetta. È microdotato. È macrodotato. È un sacerdote in borghese. È quacchero. È vergine. È sposato. È poligamo. È malato. È sadico. Porta solo mutande dei Pokémon. La sera, quando arrivammo al ristorante, scoprii che aveva prenotato una saletta privata. Lui aveva un'aria insolitamente formale, io ero formalmente terrorizzata.

«Dunque Selvaggia, sei bella, intelligente, ironica, mi piace come pensi e quello che dici, come fidanzata saresti perfetta, però io non cerco una fidanzata.»

"Neanche un'avventura, visto che non hai neppure fatto il gesto di usarmi una sera e non farti più vivo" penso io senza riuscire a fiatare.

«Il punto è che io sono gay.»

Mi passa davanti tutto il mese e mezzo trascorso insieme. Come ho fatto a non capirlo. Ha pianto vedendo *Titanic* con me e ora che ci penso la scena di Jack che fa il ritratto a Rose sdraiata sul divano col Cuore dell'Oceano al collo non faceva neanche piangere, ma lui è dovuto andare in bagno a soffiarsi il naso. Un giorno mi ha detto: «Ti sta bene questo vestito, il glicine ti dona!». Nessun eterosessuale chiama «glicine» una cosa che gli sembra viola e basta. Per non parlare del fatto che gira con la foto della madre nel portafogli. Madre vivente, eh.

«E... e quindi perché esci con me? Perché mi hai baciata?» farfuglio in coma vigile.

«Perché volevo stabilire un contatto fisico con te, sentire i tuoi odori, il tuo sapore, capire se mi piacevi al di là del fatto che non provo alcuna attrazione sessuale per te.»

L'ultima volta che la mia autostima era stata

così bassa facevo la prima media, soffrivo d'acne deturpante e il compagno che mi piaceva mi disse: «Ci sono più crateri sulla tua faccia che sulla superficie di Giove!».

«E scusa, di grazia, che te ne frega che io sappia di gelsomino, di anice stellato o di granchio reale se tanto non mi toccheresti neanche con uno scovolino?» replico vagamente seccata.

«Mi interessa perché io non ti voglio come fidanzata ma mi piaceresti molto come madre» mi fa lui guardandomi negli occhi.

«No, perdonami, a parte che io sono più giovane di te e tu vai per i quarantaquattro, ma non ce l'hai una madre? Quella nel portafogli chi è, l'ultima che ti sei slinguazzato per poi dirle che sei gay e che s'è buttata da un cavalcavia?»

«Non hai capito, ti vorrei non come MIA madre, ma come madre di mio figlio. Sto uscendo con diverse donne in questo periodo, non lo nego, ed è perché sono alla ricerca di una donna con cui farlo. Però questa donna deve avere una serie di caratteristiche, deve avere un'idea di educazione simile alla mia, perché io poi non voglio escluderla dalla vita mia e del piccolo.»

Ecco spiegato il terzo grado continuo su Leon. Non mi stava esprimendo partecipazione, stavo partecipando a un casting.

Con chissà quante altre. Ogni mia risposta era una crocetta su un test attitudinale. Che avevo superato, a quanto pare.

Ero la Giumenta Perfetta.

«Scusa, e io che tra l'altro un figlio ce l'ho già e sono eterosessuale ancora ovulante, perché dovrei aver voglia di figliare con un omosessuale che conosco da un mese e mi ha pure fatto credere di essere desiderabile ai suoi occhi, che mi ha fatto perdere tempo con cerette integrali ed extension ciliari quando poi mi guardava e vedeva una giumenta?»

«A parte che non è così, ma capisco che tu ci sia

rimasta male, e mi scuso. In definitiva, se ci pensi bene, dovresti essere lusingata perché col giusto distacco, senza coinvolgimenti emotivi, ho individuato in te una serie di caratteristiche che ti rendono, a mio avviso, l'ideale di madre. Il motivo per cui potresti aver voglia di realizzare questo mio desiderio è che io sono una brava persona, *in primis*. In secondo luogo ti propongo un contratto vantaggioso. Vorrei che tu mantenessi un bel rapporto con me e il bambino dopo la nascita, mi occuperei personalmente di tutti gli aspetti pratici e della burocrazia e infine ti darei un compenso generoso.»

Ero la protagonista di *Cinquanta sfumature di fiocco rosa*. Con Mr Grey che diventava Mr Gay.

Quest'uomo che fino a un'ora fa mi pareva l'incastro perfetto, non mi aveva scelta. Mi aveva selezionata. E mentre pensavo che era una delle esperienze più umilianti della mia vita, tirò fuori il contratto. Lo aveva preparato veramente. Lo aveva appoggiato delicatamente sul piatto vuoto.

Non lo guardai neanche, sebbene la pagina relativa alle modalità dell'impollinazione mi avrebbe incuriosita molto. Avremmo fatto tutto in provetta? Mi avrebbe fatta fecondare artificialmente? Mi avrebbe messa sotto a un lenzuolo col buco e via senza pensarci?

Ero furiosa. Brandendo una forchetta con aria ridicolmente minacciosa gli dissi tutto d'un fiato: «Ascolta, ho trentanove anni, prima di conoscerti avevo già un numero sufficiente di frustrazioni, delusioni, disillusioni tali che per toccare il fondo mi mancava solo prenotare la crociera per single a dicembre nel Mediterraneo. Ora arrivi tu e dopo aver estrapolato a tradimento le informazioni che ti servivano, mi vieni a dire che sei gay. Gay con un legittimo desiderio di paternità, per carità, ma con un illegittimo sistema di Reclutamento Madri Perfette che prevede due mesi di inganno, due mesi in cui io ho fantasticato su di noi, in cui mi sono illusa che il tuo chiedermi di mio figlio fosse un avvicinamento al tuo ruolo di secondo padre nella sua vita, mentre quello che ti importava era solo sapere se un giorno avrei potuto mai lasciare TUO figlio davanti a un cinepanettone mentre andavo a farmi la manicure anziché mandarlo a lezione di pianoforte. E non azzardarti a fraintendermi, non mi far dire quelle cose tipo "ho tanti amici gay", perché il problema non è che sei gay, il problema qui è che sei stronzo!».

Me ne andai attraversando il ristorante con la falcata di Naomi sulla passerella di Versace nel '91 e, una volta a casa, mandai un messaggio a Giovanna: «Era gay e voleva solo che gli dessi un figlio firmando un contratto. Con me non ti riesce di farmi incontrare un uomo decente neanche per caso».

Giovanna non mi invitò più da lei in pausa pranzo e non mi organizzò altri appuntamenti al buio. Tanto, ad andare a sbattere sugli spigoli col mignolo e pure con la luce accesa ero bravissima da sola.

Foglio Excel

Gianluca l'ho conosciuto nel modo più banale che si possa immaginare. Non ci eravamo mai visti, avevamo alcuni amici comuni e lui iniziò a mettere dei like a mie foto e miei post nell'evidente speranza che potessero costituire un sottile piano di avvicinamento alla preda. Quando mise un like pure al mio annuncio su Facebook «Cerco gatto pelo rosso massimo tre mesi per la mia amica Sabrina», capii che il suo era insindacabilmente amore. Andai quindi a studiare il suo profilo. Trentotto anni, avvocato, appassionato di immersioni subacquee, qualche like di troppo su pagine di soubrette, un buon italiano, nessuna foto in cui si taggava a Formentera bevendo con la cannuccia dal vascone della sangria assieme a coetanei con la sindrome di Peter Pan, nessuna frase della Fallaci e di Osho, serie tv preferita *Breaking Bad.* Insomma, non c'erano macchie evidenti sul curriculum.

Fu così che come si addice a una donna matura e scaltra over 35, nonché sufficientemente estranea ai fumosi corteggiamenti moderni fatti di messaggini ed emoticon, passai ai fatti e decisi di suggerirgli un indizio forte del mio ricambiato interesse: misi un like a una sua foto in palestra. Lui rispose con una faccina sorridente, io misi il pollice in su in risposta alla faccina sorridente, lui aggiunse una rosa, io ricambiai con un gattino con gli occhi a cuore, lui rispose con un cuore solo e mentre la nostra storia cresceva e si evolveva con evidente solidità e serietà d'intenti, lui passò alla posta privata. Poi dicono che gli uomini moderni non prendono più l'iniziativa, tie'. La conversazione privata andò più o meno così.

Lui: «Scusa se mi permetto di metterti qualche like ogni tanto».

Io: «Be', a dire il vero mi hai messo trentasette like nell'ultima settimana, compresi quelli all'annuncio del gatto con pelo rosso, a una mia risposta al mio endocrinologo che era "Ci vediamo venerdì", al mio tag al ristorante cinese Mi Ztung e al mio post in cui annunciavo che il funerale dell'amato prof di matematica Ricciardi si sarebbe svolto nella parrocchia San Filippo Neri».

Lui: «Sì, be', in effetti era qualcuno di più… Comunque nell'ultima foto che hai pubblicato stavi veramente bene…».

Io: «Grazie, anche tu».

Dopo trentotto minuti eravamo ancora ai convenevoli e siccome avevo capito da tempo che ogni minuto trascorso in più su una chat è un centimetro in più per l'asticella delle aspettative, segai di netto un'avvincente conversazione sul filtro migliore di Instagram che per lui era "Rise" perché illumina e per me "Myfair" perché scalda, e gli scrissi: «Che ne dici di un aperitivo in settimana?».

Era una proposta un po' forte a cui molti uomini, in passato, non avevano retto e a causa della quale erano scappati (troppa audacia), lo sapevo, ma ormai era la mia regola: mai più di trenta minuti complessivi su una chat con un uomo. Se dopo quel lasso di tempo non si passava a una proposta concreta di vedersi, non era interesse. Era noia.

La mia decisione era maturata dopo che in passato finii per trascorrere quattro mesi in chat con un tizio che aveva una scuola di paracadutismo in Toscana e che non trovò mai l'ardire di incontrarmi. Cioè, questo aveva il coraggio, tre volte al giorno, di salire su un aeroplanino con le eliche del mio frullatore, di agganciarsi a uno sconosciuto che nel lanciarsi la prima volta sarebbe potuto svenire o nel panico avrebbe potuto graffiarlo come un furetto su tiragraffi, di volteggiare nel vuoto appeso a un fungo di stoffa, e non trovò mai il coraggio di incontrare me. Dopo centoventi giorni di estenuanti «Io vorrei tanto vederti ma sei troppo per me», «Mi piaci molto ma magari io non ti piaccio altrettanto», «Non è già tutto bello così?», per esprimergli il mio lieve, sussurrato disappunto gli mandai un ultimo messaggio sobrio ed elegante: «Non ti faccio la sorpresa di venirti a trovare io perché altrimenti ti buco il paracadute con uno sparachiodi». Non lo sentii più e la mia relazione virtuale non toccò mai terra.

Gianluca, per fortuna, ebbe una reazione da maschio normodotato e rispose che sì, l'idea gli piaceva molto. Aggiunse pure con virile fermezza che il luogo dell'aperitivo però lo avrebbe scelto lui. In seguito capii il perché di quello slancio decisionale così insolito nel maschio 2.0, ma al momento mi parve solo un punto a suo favore.

Fu così che il 2 marzo 2013 mi ritrovai a fare un apericena. Io che avevo sempre creduto che l'apericena fosse una boutade, una leggenda metropolitana tipo non pronunciare tre volte Bloody Mary davanti a uno specchio altrimenti ti appare lo spirito di Maria la Sanguinaria, scoprii che l'apericena esisteva davvero e c'era un sacco di gente che si infilava sul serio in locali sulla cui vetrina campeggiava la scritta «apericena». Tra coloro per cui quella scritta non rappresentava un deterrente c'era il mio nuovo corteggiatore Gianluca, il trentottenne piacente, sportivo, avvocato di discreta fama. Aveva fissato l'appuntamento alle 18.15, che per l'aperitivo mi era parso un po' presto, ma non protestai.

«Sei bellissima. Cosa prendi?»

«Io un Cosmopolitan.»

«Bene, io Vodka Lemon.»

«Anche a me piace molto la vodk…»

«Che ne dici se vado a riempire il piattino che sennò poi finisce tutto? Faccio io anche per te!»

Doveva essere veramente affamato, perché con lo scatto di uno scippatore esperto si lanciò sul bancone del cibo che tra l'altro, al momento, contava un'unica saccheggiatrice: una modella di trentaquattro chili compresa la pelliccia ecologica che si rimpinzava di gambi di finocchio. Tornò con due piattini poco più grandi di un sotto-caffè su cui stavano in equilibrio precario, nell'ordine, dal basso verso l'alto: salmone affumicato, chele di granchio, pizzette bianche, pizzette rosse, del formaggio affumicato, un pezzo di parmigiano, mezza mozzarella, olive, patatine in busta, patate arrosto e un supplì. Pensai che doveva aver avuto un'infanzia difficile, forse era stato rapito da piccolo dall'anonima sarda e lo avevano tenuto digiuno sei mesi nella Barbagia. Si spolverò tutto in pochi minuti, io lasciai metà del cibo nel piatto.

«Sicura che non hai più fame?» continuava a ripetermi tra una chiacchiera e l'altra. Era l'uomo più premuroso che mi fosse capitato di incontrare fino a quel momento. E se è così attento alla mia fame, figuriamoci al resto, pensavo dentro di me.

Dopo due ore di chiacchiere piacevoli e di racconti sulle nostre vite in cui scoprii che l'anno prima stava per sposarsi dopo una breve convivenza, ma la sua ex aveva avuto un inspiegabile ripensamento dell'ultimo minuto, proposi di andare a mangiare un sashimi, qualcosa di leggero, per prolungare la serata. Lui mi guardò come se avessi appena urlato Allah Akbar!

«Non so tu, ma io sono sazio… Magari facciamo una passeggiata in corso Como, che dici?»

Chiese il conto, quando arrivò lo scontrino io feci il cenno formale di afferrare la borsa ma lui mi fermò. «No dai, questa volta faccio io!» Il «questa volta» mi sembrò strano ma in fondo era una cosa buona, voleva dire che ci saremmo visti ancora e non ci feci troppo caso. Pagò i nostri 9 euro a testa di apericena e passeggiammo a lungo mano nella mano per poi baciarci, decidere di proseguire la serata da lui e iniziare una storia che durò addirittura cinque mesi più il tempo di una breve, disastrosa vacanza.

Prima di passare ai dieci giorni in Thailandia che segnarono la fine del nostro rapporto, devo però specificare che già prima di partire, io, in quest'uomo, la magagna l'avevo intuita tutta. Del resto sarebbe stato difficile ignorarla, visto che saltava fuori in ogni contesto possibile e sebbene io facessi finta di nulla. Provavo un continuo senso di fastidio che soffocavo in virtù della solita, patetica ragione: non volevo rimanere da sola. Non volevo fare i conti con i miei fallimenti sentimentali guardando la parete bianca di fronte a me. Mi attaccavo con la tenacia e la disperazione di un rampicante a qualsiasi uomo mi paresse non ideale, ma decente. Salvo poi scoprire, quasi sempre, che la decenza non era neppure il minimo garantito. La magagna di Gianluca era la sua tirchieria. Radicata, salda, inamovibile.

Gianluca, in questo senso, non somigliava allo stereotipo del milanese in carriera. Lui non voleva fare soldi. Voleva preservarli. Viveva con la preoccupazione costante di dover mettere mano al portafogli, di essere fregato e derubato, di spendere più del dovuto, di non aver approfittato dell'offerta migliore. A casa sua, per dire, la soglia massima di potenza che aveva pattuito con la compagnia energetica era, per risparmiare, più o meno questa: se accendevo contemporaneamente l'abat-jour e una presa antizanzare, si spegneva la Torre Eiffel. Sotto la doccia c'era un secchio fisso perché lui aveva calcolato che anche quelle poche gocce l'ora che la doccia perdeva a fine giornata riempivano il secchio di un dito, e si poteva usare l'acqua del secchio al posto dello scarico del water per almeno una pipì al giorno. Alla cena fuori (ecco svelato l'arcano del primo appuntamento) preferiva gli apericena, così io mi ingozzavo di pizzette a 9 euro, cocktail compreso, e poi si saltava la cena, risparmiando. Il suo cellulare era il tripudio delle applicazioni tristi. Con le amiche lo chiamavo "l'iPhone di Scrooge" (l'iPhone ovviamente era un regalo dello studio in cui lavorava). Aveva scaricato solo applicazioni utili a risparmiare: da quella che monitorava tutti i saldi del Paese a quella che teneva traccia dei prezzi del carburante nelle varie stazioni di rifornimento della città, per cui spesso per andare in Brera si faceva una deviazione di 80 km per Cremona perché con un pieno fatto alla Shell di via Roma comunque si andava a risparmiare. Naturalmente, questo si traduceva in una irriducibile taccagneria pure quando era costretto a farmi un regalo. E la genesi della scelta andava sempre approfondita perché nascondeva delle sorprese. Il giorno della Festa delle donne, per dire, mi mandò cinquanta rose, cosa che mi parve decisamente sospetta, visto che l'ultima volta che c'era stato da fare un regalo per il compleanno della madre mi aveva domandato se quel profumo pieno a metà in bagno, impolverato in fondo alla mensola, mi servisse ancora. Quando capii che voleva riciclarlo come regalo alla madre, nacque la seguente conversazione.

Io: «Amore, come fai a regalarlo a tua mamma, è mezzo vuoto, non lo vedi?».

Lui: «Vabbe', aggiungo un dito d'acqua, tanto a mia madre non sono mai piaciuti i profumi troppo intensi, lo diluisco un po'».

Io: «Sì, amore, ma è un profumo Sergio Tacchini del 1989, lo conservo solo perché fu il primo regalo di un fidanzato del liceo e mi ricorda i tempi della scuola...».

Lui: «Ma dai, quando è stata l'ultima volta che l'hai aperto e sei stata lì ad annusarlo evocando la tua adolescenza? Dieci anni fa?».

Io: «Ok, non è che sto lì, nostalgica, a svitare il tappo tutte le sere ma non è nemmeno un problema sentimentale, è chimico».

Lui: «Cioè?».

Io: «Cioè già negli anni '80 i profumi avevano un tasso alcolico che neppure Pete Doherty dopo un addio al celibato, figurati dopo venticinque anni che quello sta lì a fermentare. Secondo me, se tua madre si mette una goccia di quel coso sui lobi, il giorno dopo le vengono le orecchie da elfo dei boschi. Lascia stare, fidati».

Lasciò stare e le regalò un biglietto per la finale di rugby a sette che si sarebbe svolta il giorno dopo a Pomezia perché era la migliore offerta disponibile su Groupon.

Ero rimasta alle cinquanta rose. Ecco, dopo una quindicina di giorni dal dono floreale di

Gianluca, andai dal fioraio a un paio di isolati da casa mia per comprare un'orchidea da regalare a una collega che aveva appena partorito. Pagai la pianta e, al momento di salutare, il fioraio, che conoscevo da anni, mi disse serafico: «Ringrazi tanto il suo fidanzato e gli dica che dopo quella lettera di diffida che ha scritto al mio vicino di casa, lo scemo ha smesso di far pisciare il cane davanti alla mia porta! Con cinquanta rose per il compleanno di sua sorella mi sono risparmiato i soldi dell'avvocato e ho risolto il problema!».

Capito il taccagno? Aveva barattato una lettera di diffida con i fiori per me. L'apice però fu il funerale del padre, dopo quasi cinque mesi che stavamo insieme. Suo papà era stato il proprietario di una famosa pizzeria della città. Malato da tempo, la sua morte non fu una sorpresa per nessuno in famiglia. Famiglia che comunque era composta da Gianluca (figlio unico) e da una madre che viveva in Francia e che aveva divorziato dal marito anni prima. Gianluca, dunque, doveva occuparsi da solo del funerale e sfortuna volle che mi chiese di accompagnarlo alle pompe funebri Outlet del Funerale.

La scena fu la seguente.

«Buongiorno, dovrei organizzare un funerale semplice per mio papà che è morto stamattina. Vorrei un preventivo.»

«Mi spiace, le porgo le mie condoglianze. Dove si trova suo padre, in città o bisogna andare a ritirare la salma in qualche altra località?»

«No, no, è qui al Niguarda.»

«Ah, allora in tal caso comincio col dirle che il trasporto fino al cimitero con una delle nostre autovetture costa 200 euro.»

«Vabbe' ma quello non è un problema, posso portarlo io col suo furgone del lavoro...»

«Scusi?»

Qui intervenni io: «Amore scusa, vuoi caricare la salma di tuo padre sul furgone per la farina e arrivare al cimitero con la scritta sulla fiancata "Pizz'amore, la pizza che arriva al cuore"?».

«No ok, in effetti… senta e la bara quanto costa?»

«Dipende dal materiale. Ci sono quelle di legno d'abete, di larice, di mogano, quelle in madreperla, quelle dipinte a mano… Con le maniglie in ottone o in acciaio, addirittura d'oro se lo si desidera…»

«Ma no, va bene anche l'apertura a scatto…»

Io: «Amore non è un ombrello, è una bara…».

«Allora va bene una semplice maniglia d'acciaio… Senta invece a proposito del materiale, in magazzino da mio padre ci sono decine di cassette di legno dei pachino che faceva venire dal casertano, se io vi fornisco il legno voi potete riciclarlo per la realizzazione del…?»

«Scusi, la interrompo. A parte che il funerale di suo padre va fatto in tempi brevi, immagino, poi mi permetto di dirle che stiamo parlando di un trapassato, non di una passata, troverei inopportuno tumulare qualcuno in una bara realizzata con legno di scarto...»

«Ma era per riciclare del materiale e risparmiare un po'...»

«Guardi, se vuole risparmiare, su Amazon trova quelli che noi chiamiamo "cofani cinesi", sono le casse da morto per gli animali fatte col cartone, magari ne trova una destinata a cani di grosse dimensioni...»

A quel punto a volermi sotterrare ero io. Farmi tumulare e avere almeno un metro di strato terroso di distanza tra me e le vergogna.

Il tizio dell'Outlet del Funerale era sempre più nervoso e sarcastico. Tagliò corto. «Facciamo un pino semplice, economico. La corona la vuole?»

«Bah, una cosa molto...»

«Semplice.»

«Sì, senza fiori, solo verde, che ne so, con l'alloro...»

Io: «Amore, tuo padre è morto, non si è laureato».

Il tizio ci guardava incredulo. «Ho capito. Facciamo una corona base. Il cuscino nella bara come lo vuole? Seta? Velluto? Cotone ricamato?»

«No no, mio padre dormiva senza cuscino...»

Io: «Amore, tuo padre non va a fare una pennichella, va al cimitero...».

«D'accordo. Facciamo un cotone semplice. La lapide, come la vuole?»

«Una cosa...»

«Semplice.»

«Sì, niente marmo, cose così...»

«Suo padre per che squadra tifava?»

«La Roma.»

«Se vuole piantiamo una bella bandierina della Roma sul prato dove è seppellito e tagliamo i costi della lapide, che dice?»

«Davvero si può far...?»

Io: «Amore, no che non si può fare, il signore è ironico…».

«Senta. Facciamo una lapide standard con incisione semplice, ok? La foto la vuole? La avviso che la cornice ha un costo aggiuntivo di 70 euro.»

«Ma no, guardi, mio padre è sempre stato un tipo schivo, ci teneva alla privacy…»

Io: «Amore, è morto, non è che se una vedova vede la sua foto al cimitero poi gli manda un messaggio su Facebook…».

I funerali sono tristi per definizione. Ecco. Quello fu il funerale più triste di tutti i funerali tristi della storia. A un certo punto pensai che Gianluca avesse preso all'outlet pure il prete, perché padre Roberto fece un'omelia di due minuti netti e alle dieci del mattino il mio "mancato" suocero era già sotto terra, chiuso e sigillato nella sua bara a 199 euro e 90 fodera-viola-senza-imbottitura-compresa. L'ultimo viaggio, il povero signor Franco, l'aveva fatto in low cost.

Naturalmente, neppure questo decisivo segnale di incapacità di stare al mondo con un livello di decenza accettabile mi aveva convinta a mollare Gianluca e a cercarmi uno che non chiedesse di pagare alla romana pure i suoi calzini di spugna per il tennis domenicale. Anzi. Ad agosto, neanche due settimane dopo aver seppellito suo papà, decidemmo di partire insieme per le vacanze. Quindici giorni tra Bangkok e l'isola di Ko Tao, in cui ovviamente un suo amico d'infanzia aveva un resort all'interno del quale c'era una stanza per noi a prezzi stracciati. La vacanza, va detto, filò abbastanza liscia. Lui faceva un sacco di immersioni e io un numero immorale di massaggi, la quotidianità ci vedeva piuttosto affiatati, nessuno dei due aveva voglia di tirar tardi la sera, entrambi nutrivamo una certa insofferenza per la cafonaggine di alcuni turisti occidentali.

Gianluca diceva di amarmi, io rispondevo che lo amavo e se poi ne fossi intimamente convinta non aveva importanza. Ero in vacanza con un uomo anziché stare a casa a saccheggiare il frigorifero. La faccenda strana di quei quindici giorni fu che Gianluca non mi fece tirar fuori un dollaro. Pagò le escursioni nelle isole adiacenti, pagò le cene fuori, pagò i taxi e tutti gli extra che (con prudenza) ci concedemmo. Ogni volta che facevo il gesto di tirare fuori dei soldi, lui mi bloccava con un perentorio: «Adesso lascia fare a me!».

Pensai che forse stava cambiando, che forse aveva capito quanto limitante e molesta fosse la sua taccagneria, che l'amore lo stesse rendendo un uomo migliore.

Il 29 agosto, il giorno dopo il nostro ritorno in Italia, lui era già in studio, io a casa davanti al computer. Mi arrivò una sua mail. Era la prima mail in cinque mesi dal nostro primo incontro all'apericena. Nessun fidanzato manda più mail.

Perché mi aveva inviato una mail? La aprii con sospetto. C'era scritto: «Amore, controlla se è tutto giusto. Ti amo. A stasera!». Tutto giusto cosa? Aprii l'allegato. Ora, vorrei trovare le parole adatte per descrivere il mio stato d'animo nel realizzare il contenuto di quel documento, ma ci sono cose come Belzebù, come il matrimonio di Ryan Gosling, che non vanno mai rievocate. O sono pericolose o fanno troppo male. L'allegato suddetto era un foglio Excel in cui il mio gentile fidanzato aveva riepilogato, punto per punto, tutte le nostre spese in vacanza per poi tirare una somma e dividerla per due, col saldo al centesimo di quello che gli dovevo e il suo Iban. Osservai velocemente le voci, c'erano i taxi da e per l'aeroporto, c'erano le cene, c'erano i pranzi, c'erano le colazioni, c'era la gita in barca a 34 dollari divisi per due, c'era la mancia al facchino del resort (2 dollari divisi per due), c'era il latte di cocco comprato al supermercato da tenere nel frigobar (1 dollaro e 20 diviso per due), c'era la mia collanina col Ganesh comprata al mercatino di Bangkok (70 penny divisi per due). E così via. Totale dovuto: 334 dollari e 87 cent.

Realizzai che tutto questo era troppo anche per me. Anche per una sfigata come la sottoscritta che per centocinquanta giorni si era fatta trattare come un socio, più che come una fidanzata, pur di non ammettere che Gianluca era l'ennesimo caso umano incrociato sul cammino. Fu così che quel giorno gli mandai anche io la prima mail della nostra storia. Questa: «Volevo sancire la fine della nostra storia scrivendoti "Vaffanculo" almeno per intero, ma ho deciso che avrei risparmiato sulle tre lettere V-A-F, per cui FANCULO. Del resto, il non investire più del dovuto su cose che non servono a nulla me lo hai insegnato tu. Ah, e visto che ami la precisione, stabiliamo una cosa. Non ci siamo lasciati alla romana: ti ho lasciato io, stronzo».

Sparii dalla sua vita e, naturalmente, non gli feci alcun bonifico.

A me, i cinque mesi di vita persi, del resto, non li avrebbe risarciti mai nessuno.

P.s.

Un anno dopo conobbi per caso la sua ex con cui era saltato misteriosamente il matrimonio alla vigilia delle nozze. E mi raccontò che la ragione occulta per cui lei si era tirata indietro all'ultimo minuto è che lui, per la cena delle nozze, aveva proposto il kebabbaro «Bella Istanbul».

Ho una cosa per te

Il giorno più duro, dopo che venni brutalmente mollata, fu quello in cui finii il trasloco nella nuova casa e capii che tra tutte le disgrazie possibili del momento c'era anche il fatto che stava per iniziare l'estate. Era il primo weekend di fine maggio con temperature sopra i 25 gradi, Milano si era svuotata in due ore come se una pandemia a trasmissione aerea avesse sterminato tutti, e io ero seduta davanti al tavolo della cucina con dodici boccette di fiori di Bach appena acquistate in erboristeria. La mia perenne ansia abbandonica aveva trovato conferma del suo motivo d'esistere e si era trasformata in un'ansia più generalizzata, quasi panteista. La mia ansia era in tutte le cose. Temevo di non lavorare più, di essere abbandonata dagli amici, di non essere bella, di non essere capace di amare e di farmi amare, di non possedere le forze per crescere un figlio da sola, di non avere risorse, capacità, ambizioni, talenti. Leon mi aveva appena chiesto di aiutarlo a costruire il galeone dei Lego, io avevo dato un'occhiata alle istruzioni e gli avevo detto: «Mamma non è capace, mamma non è capace di costruire neanche una zattera e comunque se la costruisse e ci salisse sopra la corrente la farebbe naufragare su un'isola di merda con zanzare grosse come tacchini. Costruiscilo da solo questo galeone, dammi retta!». Ed ero andata in bagno a piangere, per poi tornare ai miei fiori di Bach. Nei quali, sia chiaro, non riponevo e non ripongo alcuna fiducia.

In quel periodo lì, però, capii perché la gente telefona alle chiromanti, alle cartomanti, perché esistono i santoni, le sette, Scientology, Wanna Marchi e le creme anticellulite. La disperazione è linfa per la fede. E quando digitando su Google «rimedi per l'ansia» mi era apparsa l'opzione «gocce specifiche per ogni malattia dell'anima», avevo deciso che quella sera mi sarei fatta una spina di fiori di Bach. Naturalmente, ogni fiore mi pareva adatto alla mia situazione. Il Larch curava il complesso di inferiorità? Mi serviva. Agrimony favoriva la calma interiore? Mi serviva. Willow scioglieva livori e risentimenti? Me ne servivano sei boccette. Sweet Chestnut aiutava a superare angoscia e tormento? Una cassa, grazie. Quando ero andata ad acquistarli, la signora romana dell'erboristeria mi aveva guardata con compassione. «Ma non è meglio se se fa prescrive' un po' di Xanax dal medico?» mi aveva detto. «Scusi, ma lei ha un'erboristeria e mi suggerisce gli psicofarmaci?» le avevo risposto seccata.

«Se uno spende 176 euro in fiori di Bach secondo me je serve lo Xanax. E pure uno pisssichiatra, se lo lasci di', senza offesa, eh» aveva replicato.

Naturalmente aveva ragione, ma avevo paura di essere troppo fragile in quel momento e di rischiare di abusarne, per cui tornai a casa con le dodici boccette e la speranza di alleviare le mie pene senza benzodiazepine. Salendo le scale di casa incrociai un tizio che sospettai essere un mio vicino. O almeno, me lo augurai, visto che aveva la massa muscolare di un toro di Pamplona e in caso di necessità avrebbe potuto aiutarmi a spostare un comò grosso come il Duomo da piazza Duomo a piazzale Loreto, se ne avessi sentito la necessità. Accennò un sorriso, io ricambiai e mentre era un paio di gradini più giù, lo sentii dire: «Ma il cane sullo zerbino davanti alla porta del quarto piano è tuo? Sapevo di fidanzati che si lasciavano fuori dall'uscio, ma su cani trattati così non mi era arrivato nulla...».

Ero talmente annebbiata dall'angoscia che uscendo avevo lasciato fuori il cane.

«Eh, sai, il trasloco... Sono un po' stressata in questi giorni...»

Ci fermammo a fare due chiacchiere, gli spiegai che mi ero appena trasferita e lui precisò che non era un vicino di casa ma solo uno passato a portare una pizza a un amico influenzato all'ultimo piano senza ascensore. Poi, mentre mi salutava, aggiunse che certe volte è un bene che questi vecchi palazzi non abbiano l'ascensore: l'ascensore crea imbarazzo, le scale familiarità. La sera stessa, sulla mia porta di casa, trovai un biglietto: «Aspettarti sullo zerbino come il cane mi pareva poco virile, però posso aspettare una tua telefonata almeno fino al due giugno. Dopo quella data, in effetti, mi troverai sullo zerbino, sei avvisata». Seguiva il numero di telefono e il suo nome: Samuele. Sembrava simpatico e i fiori di Bach non avevano funzionato, per cui si candidava con una certa ufficialità a fidanzato ideale. Gli telefonai la mattina dopo ma non rispose. Gli lasciai un messaggio per fargli sapere che quel numero era il mio. Non si fece vivo fino alle cinque del pomeriggio, quando chiamò come se niente fosse seppellendomi di parole e contagiandomi con un immotivato entusiasmo.

Quello che succede nelle prime 24/48 ore dall'inizio di un corteggiamento andrebbe sempre fotografato e messo in un cassetto, perché – si scoprirà – è quasi sempre profetico o costellato di indizi su quello che sarà poi lo sviluppo della storia. E così sarebbe stato, ma lo avrei capito dopo.

Samuele aveva la mia età, amava il culturismo e gli animali, possedeva uno spiccato accento emiliano e si era trasferito di recente da Modena a Milano perché, diceva: «Qui ci sono un sacco di giri giusti per il mio lavoro». Non avevamo grandi punti di contatto ma gli riconoscevo un'ironia contagiosa e una certa capacità di alleggerire la mia personalità perennemente in bilico tra la tragedia e il melodramma, oltre che un fascino genuino, a tratti rozzo, a cui non ero abituata. Non era molto, ma in un paio di settimane avevo riposto i fiori di Bach nell'armadietto in bagno e mi pareva di essere a un passo dal dimenticare il mio ex. Certo, poi mi bastava vedere a un semaforo una macchina rossa come la sua, che a ben vedere non era neppure rossa ma arancio e be', il mio ex aveva una Volkswagen, mentre quella era una Renault, per essere di cattivo umore nell'ora successiva, ma i miglioramenti erano evidenti.

E veniamo alla magagna. Samuele diceva di avere un lavoro, la mattina usciva ma io dopo un mese non avevo ancora capito cosa facesse. Diceva, con una vaghezza inspiegabile, che lavorava nel campo delle moto, che aiutava un amico che possedeva un grande negozio di moto e ricambi a Milano e che comunque pensava di espandersi. Nei mesi, l'unica cosa che pareva espandersi, era il suo quadricipite. Del resto, delle sue visite in palestra avevo prova, visto che ogni tanto lo passavo a prendere dopo le estenuanti sedute ginniche, ma del suo lavoro sapevo ogni giorno qualcosa di meno. Non mi era possibile vedere questo negozio di moto, non mi era possibile conoscere il suo quasi socio e, soprattutto, Samuele usciva sì la mattina alle nove dichiarando che andava al lavoro, ma dalle dieci alle cinque del pomeriggio era totalmente irreperibile. Durante il giorno il suo telefono risultava quasi sempre staccato e quando glielo facevo notare rispondeva che non gli piaceva trafficare col cellulare mentre aveva a che fare con i clienti. La cosa mi infastidiva e per un po' avevo anche pensato che avesse un'altra, ma poi se era con me usava il cel-

lulare con tranquillità e quando non c'era Leon
si fermava a dormire a casa mia senza problemi,
così come io potevo andare da lui quando volevo. Certo, definire quella sua specie di garage nel
quartiere cinese di Milano una "casa" era molto
generoso. Samuele infatti viveva al piano terra
di un palazzo all'interno di un grande cortile nel
cuore di Sarpi, era l'unico non cinese del condo-
minio e aveva affittato una specie di magazzino
che inizialmente era stato il grande ripostiglio del
negozio di giocattoli accanto. L'odore della plastica cinese era rimasto appiccicato alle pareti,
tant'è che ogni volta che mi fermavo a dormire
da lui la mattina dopo i miei capelli puzzavano
di Barbie tarocca. Gli avevo domandato se non
fosse il caso di cercarsi un appartamento con
un'aria più salubre ma lui mi aveva risposto beato che quel garage era di un suo amico cinese e
che glielo lasciava a due soldi, per cui al momento rimaneva lì, poi un giorno, se mi fossi decisa

a sposarlo, mi avrebbe cercato la casa dei sogni. Sì, perché Samuele era uno di quegli uomini che dopo tre giorni ti chiede un figlio, dopo quattro un matrimonio con la carrozza e i paggetti, va detto. E a me il suo entusiasmo piaceva, lusingava, riempiva la vita, oltre che l'ingresso di casa con scatoloni di ogni dimensione.

Samuele mi riempiva di regali. Vestiti, scarpe, piccoli gioielli, ma, soprattutto, elettrodomestici o oggetti sempre molto belli, ma dall'aria casuale, apparentemente scollegata dalle mie esigenze. Che so, un giorno si presentò con una friggitrice e io a malapena sapevo friggere due Sofficini in padella. Un giorno portò a casa una Xbox che Leon possedeva già. Glielo feci notare e mi convinse del fatto che quelle prodotte l'anno successivo fossero più performanti. Poi passò al televisore al plasma. A una bicicletta. A un set di posate. All'umidificatore. A uno strano quadro che ritraeva una ragazza molto giovane intenta, di profilo, a osservare una mareggiata in quella che pareva una località delle Cinque Terre. Quando gli domandai il perché di quel quadro, mi disse che la ragazza mi somigliava. Gli feci gentilmente notare che avrà avuto diciotto anni ed era mulatta, ma rispose: «È una questione di sguardo». La ragazza aveva gli occhiali da sole, ma tacqui.

Dopo tre mesi casa mia cominciava a somigliare alla tavolata della lotteria di Natale della parrocchia. Vivevo tra scatole di estrattori a doppia elica nonostante io fossi allergica alla frutta e piastre inventa-ricci nonostante portassi i capelli lisci come spaghi, tra palloni dell'Inter nonostante in casa mia si tifasse Genoa e giochi per la Wii nonostante Leon avesse l'Xbox. Ero sommersa da regali costosi e inutili che inizialmente accoglievo con entusiasmo perché apprezzavo lo slancio ma che dopo un po' cominciarono a insospettirmi. Quando Samuele si presentò a casa con una fornitura per un anno di croccantini per gatti dicendo: «Lo so che hai un cane, ma sembravano così buoni!», manco li avesse assaggiati pasteggiando a Greco di Tufo, gli domandai per la prima volta da dove provenisse tutta quella roba senza senso che mi portava a casa. E perché non potessi mai cambiare la merce. Si fece una grassa risata e, farfugliando spiegazioni intervallate da battute plausibili sulla mia scarsa fiducia nell'umanità, finii per convincermi della sua assoluta buonafede.

C'era però un'altra faccenda strana. Samuele pagava e offriva tutto, con una generosità perfino imbarazzante a me, a mio figlio Leon, ai miei amici, ai suoi amici, ma lo faceva sempre utilizzando contanti. Non gli avevo mai visto tirar fuori una carta di credito, un bancomat, nulla. Un giorno glielo feci notare e lui mi rispose che naturalmente possedeva carte e bancomat, ma che preferiva usare i contanti perché «Oggi se vuoi un po' di privacy e non venire tracciato e registrato qualsiasi cosa tu faccia, meglio usare le banconote, non si sa mai, è pieno di matti in giro...». Insomma, dovevo smettere di essere paranoica con uno che mi aveva fatto uscire dal tunnel dei fiori di Bach.

Finché una sera, guardando con mio figlio mezzo addormentato un canale satellitare su cui trasmettevano uno di quei programmi sugli hotel a cui dare il voto dopo averci passato una notte, per poco non mi venne un colpo. Nella camera di un hotel 4 stelle di Modena c'era il proprietario che spiegava all'ospite che tutti i sedici quadri a tema «Donne dal mondo» di quell'albergo erano stati dipinti a mano dalla moglie, una nota pittrice della zona. La signora amava ritrarre bellezze esotiche in contesti italianissimi. Quella bella ragazza mulatta, per esempio, era una traduttrice etiope ed era stata ritratta a Vernazza durante una mareggiata. Era il quadro che si trovava sopra la mia tv in quel momento. Quel programma era passato cento volte in tv ed evidentemente, nel frattempo, i quadri erano diventati quindici. Per togliermi il dubbio, chiamai quell'hotel, dissi che avevo visto il programma e che ero interessata all'acquisto dell'opera descritta dal proprietario. La voce della signora all'altro capo del telefono si fece dura: «Guardi, lasci stare, me l'ha portato via un delinquente tre mesi fa. Gli ho dato quella camera e la mattina dopo non c'erano più né lui né il quadro. E il documento che mi aveva lasciato era pure falso. L'ho denunciato ma non lo trovano, quello schifoso».

In un attimo realizzai che casa mia era il paradiso del ricettatore. Che se fossero entrati i carabinieri in quel momento preciso, mi avrebbero processata per direttissima un mese dopo. Che Samuele doveva avere una specie di compulsione per il furto perché cosa gliene fregava di portarsi via un quadro di Vernazza col mare mosso da un hotel. Mi tolsi il bracciale che mi aveva regalato e con la furia di una Erinni staccai la presa dell'Xbox dal muro, per poi toglierla da sotto alla tv e riporla nella scatola semi-nuova. Leon, svegliatosi di soprassalto, mi guardò perplesso: «Mamma ma… ma… perché mi togli l'Xbox? Guarda che lo recupero il 5 in matematica…».

«Perché è rubata. Come la friggitrice, il phon, il set di posate, il quadro, le tue scarpe da ginnastica… anzi levatele!»

«Ma mamma, mi hai sgridato quando ho rubato la gomma a forma di semaforo a Valerio, perché tu rubi?»

«Non ho rubato io, ha rubato Samuele, tutto quello che vedi io non so da dove arrivi ma senz'altro chi l'ha preso non ha chiesto lo scontrino!»

Poi staccai il quadro dalla parete.

«Mamma, ma anche quel quadro è rubato?»

«Sì, soprattutto questo quadro è rubato!»

«Ma perché uno deve rubare un quadro così brutto?»

Accatastai sul pianerottolo una serie di scatoloni che arrivavano fino al soffitto. Poi scrissi un sms a Samuele, che quella sera era allo stadio con un amico: «Trova il modo di restituire il quadro all'albergatore di Modena. Vieniti a riprendere il resto della refurtiva immediatamente. È fuori dalla porta, Arsenio Lupin de noantri».

Dopo un paio d'ore, ormai a notte fonda, suonò il campanello. Era lui, con l'aria da cane bastonato e la sua solita espressione da quello che sa come uscirne.

«Sposami, ti prometto che diventerò una persona seria.»

«Onesta, vorrai dire.»

«Onesta, d'accordo.»

E mentre ero ancora lì che aspettavo un paio di spiegazioni su come si svolgesse la sua attività criminale e sul suo grado di responsabilità nella faccenda, tirò fuori una scatolina dalla tasca. La aprì e me la mostrò. C'era un brillocco di quelli estratti in qualche miniera del Botswana con cui avrei potuto estinguere comodamente un paio di mutui. Lo guardai con aria sognante e rapita, lo misurai, lo ammirai splendere sul mio anulare teso, come quando provi un anello di quelli belli. Poi me lo sfilai, riponendolo nella scatoletta, e gliela restituii sorridente. «Grazie, ma non so dalla mano di quale vecchietta l'hai strappato. E se quella mano è ancora attaccata al polso.»

Lo sentii balbettare qualcosa, ma richiusi la porta dietro di me senza alcun tentennamento.

E tornai ai fiori di Bach. Erano inutili e con loro non funzionava neppure l'effetto placebo, ma erano rimaste pur sempre una delle poche cose regolarmente pagate dentro casa mia.

Non ho il tempo per Facebook!

Quando il mio lutto sentimentale era nella fase acuta, mi convinsi che sarei invecchiata come quelle accumulatrici seriali che vedevo nei programmi tv americani dopo mezzanotte. Mi sentivo spacciata e condannata a un futuro di decadimento fisico e psichico e tra le varie opzioni possibili (gattara/vicina di casa rompicazzo/la tizia del paese che parla da sola con grossi cappelli colorati e vestiti invernali in piena estate), quella dell'accumulatrice seriale mi pareva la più papabile. Succedeva infatti che avendo poca fiducia nel domani, avessi cominciato a manifestare un attaccamento morboso ai ricordi. Iniziai col conservare i biglietti aerei dei miei viaggi, poi quelli del cinema con Leon, poi quelli del tram con cui lo accompagnavo a scuola, poi gli scontrini dei ristoranti, finché un giorno Leon mi vide raccogliere la carta della sua Big Babol dal secchio dell'immondizia e mi chiese cosa stessi facendo.

«La tengo, così mi ricorderò come masticavi le gomme da piccolo!»

Mi guardò con quella faccia fintamente comprensiva, un po' come quando l'amico innamorato ci dice: «Dopo quello che ha fatto non la cercherò mai più» e tu lo assecondi, sapendo che appena vi sarete salutati le andrà a citofonare sotto casa con la dignità legata a un palo, come certi cani fuori dai supermercati. Per questa ragione, mi misi in testa che avrei dovuto affidare a un fotografo professionista la mia esigenza da congelamento ricordi e fargli immortalare quel preciso periodo storico in cui io, Leon e il cane eravamo una famiglia sbilenca, affaticata, ma tutto sommato funzionante.

Feci una breve ricerca su Google e mi colpirono i ritratti di un fotografo milanese di discreta fama che aveva lo studio in Maciachini. Stranamente non possedeva una pagina Facebook e non aveva Instagram, solo il sito (piuttosto scarno) su cui erano indicati i contatti. Al telefono fu freddo e sbrigativo, mi spiegò che prima avrebbe dovuto valutare chi fossero i soggetti perché se il soggetto non lo interessava non accettava di fotografarlo e che poi, se avesse accettato, non mi avrebbe permesso di scegliere le foto. La selezione l'avrebbe fatta lui perché «Non mando in giro mie foto che non mi piacciono». Insomma, Antonio – così si chiamava – era simpatico quanto un autovelox dietro la curva. Però certi suoi ritratti di famiglia in cui pure quella soubrette semi-analfabeta pareva Jacqueline Kennedy erano davvero belli e non avevo voglia di scartarlo solo perché non era il miglior pr di se stesso. Mi aveva chiesto di mandargli qualche foto mia e di Leon scattata col telefono. «Pose naturali per favore» si era raccomandato. Dovetti dunque rinunciare alla mia posa naturale preferita, ovvero quella in cui fingo di guardare il tramonto di tre quarti con una molletta nascosta internamente al vestito per stringere l'abito sul fianco, l'olio di Argan sulle gambe effetto brillantinato, la mano destra che finge di sfiorare la guancia per mostrare il semi permanente rosso ciliegia e la mano sinistra che allaccia il grembiule di Leon. Peccato, i momenti di banale quotidianità su Instagram sono così affascinanti. E credibili.

Gli inviai quindi una serie di foto senza lode e senza infamia in cui io e Leon accarezzavamo il cane, cucinavamo, facevamo un giro al parco. Insomma, mi convinsi che Antonio avrebbe trovato più stimolante fotografare la ventola del condizionatore che noi, e per qualche giorno non ci pensai più. Invece mi chiamò.

«Non siete i Beckham, ma comunque avete una cifra pop che non mi dispiace. Vi aspetto giovedì alle 17.00.»

Una simpatia disarmante. Il servizio fotografico fu invece un successo. Leon era divertito dalla solita aria eroica del nostro cane, il quale se ne stava con la coda tra le gambe e le pupille dilatate come se si trovasse a una gara tra pitbull e lui fosse sul cancello in attesa di entrare a combattere, anziché su un set fotografico. Io avevo portato un numero indecente di cambi abito, dal primaverile finto-provenzale a fiorellini al maglione peruviano con le ciocie. Antonio mi chiese spontaneità, mi invitò a far finta di essere a casa e di fare le cose che faccio sempre, io gli risposi che in quel caso mi avrebbe dovuto procurare dei fiori di Bach e una scatola di fazzoletti, si mise a ridere e venne fuori che non era male come pensavo. Anche perché – questo era un particolare che non mi era certo sfuggito – Antonio era più che piacente. Ex modello, quarantuno anni, origini siciliane, aveva girato il mondo e capito presto che gli piaceva fotografare più che essere fotografato. Aveva abbandonato la moda a ventisei anni (presto per un uomo), si era laureato in Storia e aveva cominciato a lavorare come fotografo. La moda gli interessava poco, preferiva i ritratti. Tutto questo me lo aveva raccontato tra uno scatto e un altro, specialmente quando il cane aveva fatto la pipì sul flash e il suo assistente aveva rischiato l'incriminazione per sevizie su animali.

A me piaceva. Tanto. Lo sapevo perché quando mi piaceva qualcuno e c'era con me Leon, io lo invitavo sempre a essere particolarmente gentile. «Leon, sorridi ad Antonio!» «Leon, hai visto come è bravo Antonio?» «Leon, vedrai che belle foto che ti fa Antonio!» «Leon, di' ciao e grazie ad Antonio!» «Leon dai un bacino ad Antonio!»

Quando uscimmo dallo studio, Leon mi guardò con gli occhi del dissenso e mi disse sprezzante: «Mamma, non mi devo tatuare Antonio su un braccio, vero?».

Con Antonio la storia durò esattamente novantasette giorni, poco più di tre mesi. Più che un fidanzamento, fu una guerra lampo. E utilizzo il termine "guerra" non a caso. Tra noi due infatti, il rapporto fu subito chiaro: cane e gatto. Yin e Yang. Trump e Kim Jong-un. Batman e Joker. Il fuseaux grigio e la ritenzione idrica. Non andavamo d'accordo su nulla, eravamo sintonizzati su onde diverse, ci accendevamo per il gusto della dialettica, giocavamo perennemente sul piano della sfida. Lui era convinto di poter vantare una netta superiorità culturale e morale nei miei confronti e non nascondeva, nelle sue tesi, un retrogusto sessista che provocava la mia insofferenza ma che, allo stesso tempo, aveva innescato un braccio di ferro scemo, malsano e come molte cose malsane, ahimè, seducente.

Io, lo premetto, ero il soggetto perdente della coppia. In un periodo in cui la mia autostima era quella di un adolescente grasso arrivato ultimo alla corsa campestre, qualsiasi accusa di essere qualunque cosa mi pareva attendibile. Secondo Antonio io ero troppo appariscente e mi vestivo «come la sesta delle Spice Girls ma vent'anni dopo». Credibile. Secondo Antonio io mi ero trovata un bel lavoro ma facevo scelte sbagliate, scrivevo solo scemenze e frivolezze varie. Aveva ragione. Secondo Antonio la mia irrequietezza sentimentale era sintomo di insicurezza. Come dargli torto. Secondo Antonio ero una bellezza da camionisti. Poteva essere. Secondo Antonio ero inaffidabile. Infedele. Stratega. Ammaliatrice. Secondo Antonio i social network erano l'habitat dei fedifraghi e io li utilizzavo compulsivamente

perché lì lanciavo ami, sondavo terreni, seleziona-
vo prede. E questo, benché lui fosse sul punto di
convincermi pure di essere necrofila e jihadista,
sapevo perfettamente che non era vero. Il punto
della questione è che Antonio contrapponeva la
sua rettitudine, la sua dedizione al lavoro, la sua
introversione alla mia esuberanza e ne traeva la
banale conclusione che lui fosse quello serio dei
due. Quello che aveva avuto poche fidanzate e di
lunga durata, tutte serie professioniste, tutte ele-
gantissime, tutte esteticamente impareggiabili,
tutte realizzate, tutte devote, tutte prossime alla
beatificazione, tutte grate a lui per i meravigliosi
anni trascorsi insieme.

Quel costante clima di diffidenza, unito al suo
incessante lavoro di erosione delle mie già scarse
certezze, aveva scatenato una gelosia morbosa da
parte di entrambi. La mia perché mi ero convinta
che Antonio con me fosse solo parcheggiato ma
cercasse di meglio, o comunque una donna all'al-

tezza degli standard a cui era abituato. La sua perché, appunto, secondo lui non ero in grado di rinunciare a sedurre il mondo. E infatti, guarda caso, io ero sui social network, lui no. Questa era la prova regina. La pistola fumante della mia infedeltà.

«Io oggi ho lavorato, tu sarai stata tutto il giorno su Facebook…» era la sua frase ricorrente. E invece, la maggior parte delle volte, io ero stata sì tutto il giorno su Facebook, ma a cercare informazioni sulle donne che quel giorno avrebbe fotografato. Dopo due mesi di vita così potevo vantare un master in stalking, idee fisse e manie persecutorie da meritare un capitolo dedicato nel manuale della psicanalisi moderna. La questione centrale è che qualsiasi donna fosse destinata al suo obiettivo fotografico, nella mia testa era migliore di me. E io facevo in modo di torturarmi cercando informazioni di ogni tipo su queste perfette sconosciute di cui carpivo segretamente i nomi sull'agenda di Antonio. Le cercavo su Facebook, Instagram, Twitter, Google Plus, LinkedIn, sugli annuari dei college americani, negli archivi della CIA, nella lista dei ricercati più pericolosi d'Europa e Asia Centrale, nelle liste di tutte le Miss moto GP dal '71 in poi e in quelle dei cresimandi nelle parrocchie d'Italia. Una volta trovate, studiavo le loro bacheche per capire se fossero individui femminili evoluti o irrilevanti sciacquette, ma detto ciò, il culo sodo delle irrilevanti sciacquette mi preoccupava quanto le due lauree di stimate professioniste, per cui ero in un vortice di terrore senza scampo. Se poi scoprivo che erano single, piacenti e con qualche interesse in comune con Antonio, trascorrevo la giornata con lo stato d'animo del condannato a morte che percorre il miglio verde.

Una volta mi accorsi che una delle ragazze che avrebbe fotografato in giornata aveva *The Millionaire* tra i film preferiti su Facebook, e siccome

The Millionaire era pure il film preferito di Antonio, mi parve un indizio inequivocabile del fatto che il destino li avesse fatti incontrare. La mia amica Giulia, con la quale mi sfogai, mi fece delicatamente notare che se avesse dovuto trombarsi tutte quelle che avevano inserito *The Millionaire* tra i film preferiti, avrebbe dovuto abbandonare i set fotografici per darsi a quelli porno e quindi mi presi quindici gocce di fiori di Bach anziché le solite venti.

Inutile descrivere il sollievo nello scoprire che magari le tizie erano sposate o, ancora meglio, sposate con figli anche se effettuavo sempre un ulteriore controllo incrociato con la bacheca del marito per capire se parevano felici entrambi o nel matrimonio ci potesse essere qualche ombra. Per esempio, una tizia non mi lasciò tranquilla per niente perché lei risultava sì sposata ma residente e localizzata a Miami, mentre il marito era localizzato a Westchester. Dopo mezza giornata trascorsa sulle bacheche di tutti gli abitanti della contea di Westchester per scoprire se il marito avesse una seconda famiglia da quelle parti, scoprii che Westchester in realtà era un ospedale di Miami in cui lui era in coma da sedici anni, accudito teneramente dalla moglie e dalle figlie. Il giorno in cui doveva fotografare una scrittrice danese di grido nonché ex Miss Scandinavia, passai in studio a sorpresa con la scusa di avere urgente bisogno di un pannello nero da mettere davanti alla finestra di casa, ché la tapparella non veniva giù e il riflesso della luce sul computer mi impediva di scrivere. Insomma, una vita d'inferno.

Antonio, comunque, non era migliore di me. I miei amici uomini secondo lui erano, naturalmente, tutti fidanzati in overbooking, speranzosi che si liberasse un posto. Un'amicizia data su Facebook, nella gerarchia degli sgarri a un fidanzato, equivaleva a un tradimento con sesso a tre incluso utilizzo di frustino bondage. Un collega che mi telefonava dopo le otto di sera era uno per il quale «tu hai gli orari di una prostituta».

Dopo due mesi così di liti, ossessioni e finte rappacificazioni, era evidente che non potevamo andare da nessuna parte, se non in un ospedale psichiatrico e ad almeno due padiglioni di distanza. Detestavo la sua arroganza, la sua superbia, il suo trarre linfa dalle mie debolezze, il sadismo organizzato e sistematico con cui smontava il mio ego e la sua diffidenza patologica. Mi piacevano, però, la sua bellezza, il suo talento, il piglio carismatico e anche quella sua capacità di camuffare all'esterno la sua protervia con una docilità formale. Era una danza tossica a cui non riuscivo a smettere di partecipare.

Poi, un giorno di quelli neri in cui credevo che la nuova assistente me lo avrebbe portato via perché l'avevo vista vestita di verde e il verde era il colore preferito di Antonio, particolare questo che non poteva che essere un inequivocabile segno del destino, decisi che dovevo trovare il modo di uscirne. Non ero capace di dirgli «basta» perché al di là dei nostri fantasmi, non c'era altro. Il problema non era fuori da noi, era dentro. L'unica soluzione, dunque, era ampliare il problema: trasformare un fantasma in qualcosa di concreto. Avere un appiglio. Lasciarlo con un perché tangibile che non fosse qualche suo limite (o mio) che avevo la speranza di cambiare. Sapevo che nessuno dei due era felice, che entrambi speravamo in un incontro migliore, in una via d'uscita. E allora, questa via d'uscita, decisi di costruirla. Cercai a lungo tra le mie amiche e le amiche delle mie amiche e le amiche delle amiche delle mie amiche un profilo estetico che gli potesse piacere. Optai per una ragazza salernitana con cui mi ero scritta qualche volta, una bellezza mediterranea e pulita, sempre sobria, poco trucco, foto per nulla ammiccanti. Il mio esatto contrario, insomma. Cercai il nome di una galleria d'arte che facesse anche esposizioni fotografiche a Brescia. Poi, da un account creato al momento, inviai una mail ad Antonio, che la settimana dopo aveva uno shooting proprio a Brescia.

Ciao Antonio, perdona l'invadenza. So che non ci conosciamo, ma io ammiro molto il tuo lavoro e mi faceva piacere fartelo sapere. Sai, sono in Italia da qualche anno dopo un passato da modella in Argentina e ho aperto una galleria d'arte a Brescia. Spero di poterti incontrare, prima o poi, e di avere l'occasione di toccare con mano i tuoi lavori, magari grazie a una mostra nella mia nuova città. Allego qualche mia foto per dimostrarti che esisto e che noi amanti dell'arte non siamo tutti incazzati come Sgarbi o vestiti come Daverio!

Camila

Ci avevo infilato tutto quello che immaginavo potesse essere motivo di attrazione per lui. Antonio aveva una predilezione per le straniere, amava il

Sudamerica, voleva essere adulato, apprezzava l'ironia e chiunque prendesse le distanze dalla moda dopo averci messo un piede dentro. E inoltre, le foto erano quelle di una discreta gnocca. Camila non esisteva, ma poteva diventare l'unico pretesto concreto per interrompere un rapporto fatto di fantasie malate e torture psicologiche.

Neanche dieci minuti dopo arrivò la mail di Antonio. Nell'aprirla, tremavo come se io fossi davvero un'altra. Una di quelle donne bellissime che affollavano i suoi set.

Ciao Camila,

che piacere. Non conosco la tua galleria, per cui devo recuperare al più presto. La prossima settimana, per esempio, sono a Brescia e potrei passare da te per conoscerci, che ne dici? Ho visto le tue foto. Be'. Sei semplicemente bellissima, quasi quasi ti faccio un servizio fotografico e te lo regalo. P.s. Come mai ti sei trasferita in Italia?

A.

Infinito, inimitabile, grandissimo, supergalatti-
co pezzo di merda. Con me hai fatto il prezioso,
«devo vedere bene il soggetto», te la sei tirata tre
giorni manco fossi Helmut Newton, «le foto le
seleziono io» e poi con questa prostituta argentina scodinzoli dopo quattro righe di moine e due
foto in cui si intuisce un bel culo sotto i vestiti?
Mi stava montando una rabbia indicibile. Odiavo lui e odiavo questa Camila, dimenticando che
Camila ero io. Ero definitivamente avvitata su me
stessa e le mie ossessioni.

> Caro A.,
> a questo punto sarebbe bello incontrarci prima
> della tua visita già preventivata a Brescia... i
> pretesti servono a quelli che non hanno troppa
> voglia di vedersi, no?
>
> Camila

Baldracca. Ti sei chiesta se lui ha una fidanzata a
casa che lo aspetta, eh? Non ti pareva il caso di

domandarlo prima, per rispetto? Per delicatezza nei confronti di una moglie, magari, eh?

No, aspetta, cosa sto dicendo? Sto dando della baldracca a lei come una di quelle donne che hanno interiorizzato il maschilismo e neppure lo sanno. Lei che c'entra? È Antonio che dovrebbe ricordarle di avere una fidanzata a casa.

Ormai non avevo neppure più il tempo per un pensiero articolato perché le risposte di Antonio, quello che «io lavoro tutto il giorno mentre tu perdi tempo su Facebook», arrivavano alla velocità della luce.

Hai ragione,
i pretesti sono per gli sfigati e per i pavidi e non credo di appartenere a nessuno di questi due macrogruppi. Magari questa sera poso l'obiettivo con un po' di anticipo e raggiungo un obiettivo a un centinaio di chilometri da me... Hai un posto carino da suggerire per

un aperitivo con un po' di privacy e del buon vino rosé?

A.

Cazzone avariato che non sei altro. Stasera io e te siamo a cena da mio fratello, è il suo compleanno, lo sai da due settimane, gli hai pure stampato la foto al mare che gli piace tanto. E a me cosa pensi di dire, eh? Spero che ti ricorderai del nostro impegno e avrai almeno la decenza di spostare l'incontro con questa sgualdrina perché ci manca pure che ti inventi una scus...

Squilla il telefono. È Antonio. Faccio un respiro profondo. Afferro la prima boccetta di fiori di Bach che mi capita a tiro e la mando giù tutta come fosse uno shottino. È Agrimony. Se è vero che con due gocce si ritrova generosità e pace interiore, io stasera parto in missione per il Burundi.

«Pronto?»

«Ciao tesoro ascolta, per stasera ho un contrattempo, c'è il mio agente inglese in città e devo andare a cena con lui, scusami tanto con tuo fratello…»

Stronzo maledetto, che tu possa marcire in un inferno fatto su misura per te in cui le foto vengono tutte sfocate e col filtro spiana rughe.

«Va bene, dai, non preoccuparti, ci vediamo domattina a colazione…»

«Sì, certo… Ma va tutto bene? Ti sento con una voce un po' strana.»

«No, figurati, mi dispiace un po' perché mio fratello ci teneva ma non fa niente, recuperiamo la prossima sett… un'altra volta.»

Bugiardo d'un minchione. Tu eri quello che mi rimproverava di voler sedurre il mondo. Di comportarmi come se fossi perennemente su piazza. Di usare il computer per gettare ami.

Caro A.,
ti aspetto alle venti a L'ora ritrovata, nel centro

storico. Poi se ti va ti porto in galleria da me. La apro solo per te... Sono certa che la stanza delle candele ti piacerà. Gli artisti amano la luce del fuoco... ci sono fotografi che hanno fatto la loro fortuna ritraendo corpi nudi nella penombra...

Camila

Io questa miserabile scaldamutande la vado a cercare. Le candele gliele speng... Alt. Sono io. Camila sono io. Devo cercare di non dimenticarlo. Sono in una specie di *A Beautiful Mind* in cui sto dando forma a un fantasma, ora è bene che mi calmi.

Ci sarò. Fuori e dentro la penombra.

A.

Buffone. Ma dove vuoi essere tu fuori e dentro la penombra che appena cala il sole t'addormenti sul divano con la bavetta all'angolo della bocca.

Ero furiosa. Sapevo di aver creato io questa situazione, sapevo che anche io, probabilmente, ero pronta a cedere a qualcosa di irresistibile se quel qualcosa avesse avuto la potenza per allontanarmi da lui, nel caso si fosse presentata l'occasione, ma la retorica della sua famosa inflessibilità si stava sgretolando davanti a due mail ammiccanti e mi sentivo una cretina. Naturalmente sapevo cosa fare. Non potevo rimanere nel dubbio che lui, magari all'ultimo, ci avesse ripensato. Non potevo perdermi l'occasione di un'uscita plateale da questa storia. Voglio dire, il cogliere in flagranza di reato è traumatico ma pure esaltante. C'è chi può farlo esibendo le manette, io l'avrei fatto sfoggiando il mio sorriso più sarcastico. Mi bastava quello. Niente piazzate. Me ne sarei andata come quelle donne eleganti che lui ammirava tanto. Quelle dei suoi ritratti in bianco e nero.

Mi scusai con mio fratello dicendo che per la cena avrei tardato un po'. Alle sette meno un quarto partii da Milano col mio vestito miglio-re. Aspettai fuori dal locale, nascosta dietro una macchina. Era puntuale. Aveva indossato il ma-glione beige che mi piaceva. Quando fui sicura di trovarlo seduto al tavolo che avevo prenotato a nome Camila, entrai in una dimensione Zen e mi avviai verso il locale. Spalancai la porta salutan-do il cameriere con i basettoni, attraversai la sala con la falcata da granatiere e quando fui a poca distanza da lui, Antonio mi vide. Se in quel mo-mento gli si fosse parato davanti un cobra reale o il fantasma di un Natale passato, credo avrebbe avuto un'espressione più rilassata. Mi ero prepa-rata una frase concisa e a effetto da dirgli sotto-voce, con gli occhi carichi di un odio sprezzan-te ma distaccato e un linguaggio del corpo che avrebbe suggerito freddezza e determinazione. La frase era: «Camila ero io. E io lo so quando indosso una maschera per ingannare le persone. Sei tu che non ne sei consapevole. Addio!».

Le cose sarebbero dovute andare così. E giuro che se lui non avesse accennato un sorriso, se non avesse fatto la mossa di alzarsi e non avesse pronunciato, sottovoce per non attirare l'attenzione perché lui era il grande fotografo Antonio Ferrante, mica cotica, la fatidica frase: «Come ti sei permessa di farmi questo giochino? Tu sei pazza!», sarebbe andato tutto come da copione.

Invece gli lanciai la borsa. Che non solo finì nel cestello dello champagne sollevando uno tsunami di ghiaccio che investì il barboncino nero del tavolo accanto, il quale cominciò ad abbaiare come un ossesso, ma che era pure aperta. Ergo, ai tavoli 12, 13 e 14 arrivò una pioggia di set di pennelli e make-up misto, ai tavoli 15 e 16 arrivò un set di chiavi del garage/vano elettrico/parcheggio bici e al tavolo 17 arrivò il bastone del selfie retrattile che con l'urto sul tavolo si aprì di scatto e rimbalzò in direzione della lente destra degli occhiali di un ex amministratore comunale in pensione.

Quello che dissi ad Antonio a un volume che il concerto dei Metallica a Mosca in confronto era una cerimonia del tè, rimarrà un segreto tra me, Antonio e gli sfortunati clienti del locale quella sera. Posso solo dire che un paio di loro, negli anni successivi, dovettero ricorrere a esorcismi. Io e Antonio ci rincontrammo casualmente un anno dopo a una festa. Lui non mi vide. Teneva sotto braccio una ragazza molto bella, mora, alta e asciutta. Per un attimo pensai che fosse Camila. Poi mi ricordai che Camila ero io e di come i nemici, in certe relazioni malsane, sono dentro di noi. Perché fuori quando una relazione funziona non c'è mai un bel niente. Al massimo, qualche innocuo fantasma destinato a sparire dopo un po' (e che non possiede un account di posta elettronica).

Struttura invecchia

Una volta, quando la mia fiducia nella fauna maschile era ormai ridotta ai minimi termini e pensavo che a quel punto valesse la pena concedere un'opportunità pure a uomini che non la meritavano neppure sulla carta, uscii a cena con un fashion blogger. So quello che state pensando, ma vi prego. Non giudicatemi.

Il tizio, che chiameremo Simon, era parecchio più giovane di me, vantava 764.000 follower su Instagram e un titolo di studio tipo «Due anni di Trono presso Istituto Maria De Filippi». Mi aveva contattata, appunto, via Instagram ed era desideroso di dimostrarmi che oltre alle stories in cui esibiva gli addominali e salutava le sue fan chiamandole «caramelline», ci fosse molto di più. Io gli avevo risposto che non avevo voglia di fare esterne con un ex tronista specialmente senza Jacuzzi, lui aveva insistito un po' e alla fine, visto che il suo ultimo messaggio era arrivato quando avevo appena scoperto che il mio ex usciva con la sua fisioterapista, quella che «è solo un'amica, tu sei paranoica!», pronunciai un sì per sfinimento. Quella sera sarei uscita pure con Balotelli. Mi invitò – credo per smarcarsi dal cliché del tatuato incolto – in un noto ristorante stellato del centro, cosa che mi fece sorridere perché la sua pagina Instagram contava almeno sedici tag nella nota pizzeria Dal Cassamortaro a Roma, trentaquattro presso i Fratelli la Bufala a Bologna e quindici alla trattoria Da Gigi il vip a Milano, famoso ritrovo di calciatori e aspiranti wags. Un posto, per intenderci, in cui i primi piatti si chiamano Tagliatelle all'Isola dei famosi, Tagliata Grande fratello, Tiramisù Bobo Vieri, Macedonia del bomberone e, infine, il capolavoro: Insalatona mista sorelle Rodriguez. Arrivai puntualissima, mi accomodai al tavolo prenotato e vuoto, sistemato in un angolo piuttosto buio della sala e lo attesi la bellezza di ventisette minuti senza ricevere neppure un Whatsapp di scuse. Ero lì lì per andare via, quando lo vidi venirmi incontro con le braccia spalancate come a dire: «Scusa, ma il Gruppo Bilderberg non sai mai quando ti lascia andare a casa!» che invece si tradusse in un più modesto: «Scusa ma non mi si caricava l'ultima storia di Instagram!».

Finsi di comprendere il dramma del selfie all'addominale obliquo che non si caricava più perché avevo sbirciato il menu e desideravo ardentemente gli spaghetti di grano saraceno con le lumachine di mare che perché mi paresse una scusa accettabile, e le due ore più lunghe della mia vita ebbero inizio.

Simon era vestito come il testimone di nozze a un matrimonio del *Boss delle cerimonie*. Si capiva che si era impegnato perché aveva lasciato la t-shirt bianca con le scritte tamarre a casa e non aveva i capelli umidicci di gel come se fosse stato appena estratto dalla placenta, ma probabilmente era anche peggio. Completo argento (ripeto a-r-g-e-n-t-o) di qualche stilista in voga tra i migliori rapper e spacciatori del Paese, mocassino di pelo viola e camicia bianca con le iniziali SMI.

«Bella la tua camicia… S sta per Simon, M per Marani e la I?» gli domandai io per trovare subito un argomento di conversazione alternativo al "Come cazz' ti sei vestito?" che feci fatica a trattenere.

«La I sta per Influencer» mi rispose lui mentre afferrava il menu col beato sorriso dell'inconsapevolezza.

Ero a cena con uno che si era fatto cucire a mano la I di Influencer. Non quella di idiota/imbecille/ignorante, no, proprio quella di influencer. Lo guardai e mi immaginai di staccargli quella cucitura con i denti, come con le etichette di Zara.

«Tu che prendi?» mi domandò concentratissimo sulla lista degli antipasti.

«Io sgombro marinato con guacamole e croccante al tè e spaghetti di grano saraceno con le lumachine di mare. Tu?»

Mi guardò come se avessi pronunciato un verso della Bibbia al contrario con la voce di Bruno Pizzul.

«Ah. A me questa cucina saracena non mi convince troppo...»

«Non è una cucina, è un tipo di grano... che molti secoli fa arrivò dall'Arabia...»

«Peggio mi sento. Io sono per l'imbarco.»

«Il che?»

«L'imbarco, quella cosa che non bisogna più comprare cose da questi. Non può essere che facciamo entrare le scarpe dei cinesi, il formaggio dei francesi, il grano dei saraceni, i fashion blogger dalla Svezia...»

«Ah, l'embargo, non l'imbarco...»

«Sì sì, quello. Cioè ti pare giusto che Armani fa fare la pubblicità del profumo a Sean Penn che è americano anziché a un italiano come me?»

«Be', insomma, diciamo che avete un posizionamento un po' diverso, lui ha vinto un paio di Oscar...»

«Sì, ma su Instagram io ho più engagement.»

«Certo certo. Cosa mangi?»

«Per me questi piatti sono tutti un po' pesantini, domattina ho uno shooting di intimo... Cameriere, mi scusi...»

Non so perché ma fui improvvisamente preoccupata. Il cameriere era un ragazzo giovanissimo, leggermente intimidito dalla foga con cui era stato chiamato.

«Senta, molto bello il menu però siccome io domani ho un servizio fotografico e vorrei rimanere leggero, non è che mi potete fare un petto di pollo alla piastra, magari con un po' di riso bianco e mezzo limone a parte?»

Cioè, era in un ristorante con due stelle Michelin e aveva appena ordinato il menu della dieta a zona di Belli&inForma. Volevo morire.

Il cameriere balbettò che avrebbe chiesto in cucina e sparì dietro una tenda.

«Che vino ti va? Che ne dici di un rosé?» gli chiesi io prima che domandasse al cameriere se ci portava una Vitasnella.

«Scegli pure tu, mi piacciono le donne che scelgono il vino» mi rispose guardandomi negli occhi sicuro del suo potere seduttivo. Io avrei voluto dirgli che se avesse voluto conquistare una donna fissandola negli occhi, intanto avrebbe dovuto evitare di spinzettarsi le sopracciglia che nel suo caso avevano la forma della mezzaluna con cui taglio il prezzemolo, ma aveva attirato la mia attenzione la collana che portava al collo. Era una catena con una specie di patacca dorata con su scritto «*Per aspera ad astra*».

«Bella la scritta sulla tua collana...» gli dissi per tentare la strada della gentilezza.

«Sì, *per asper ad aster*, molto figa.»

«È *per aspera ad astra*...»

«In inglese si legge *per asper ad aster*!»

Avrei voluto spiegargli che era latino ma probabilmente per lui il latino era un ballo sudamericano e rinunciai a istruirlo. Nel frattempo si ripalesò il cameriere con un'espressione affranta.

«Mi scusi ma lo chef dice che non facciamo pollo alla piastra e riso in bianco. Le suggerisce la sogliola alla mugnaia con costine di bietola e cedro candito che è il piatto meno calorico del menu...»

«Meno calorico ma costa 58 euro. Con 58 euro altro che petto di pollo, mi ci compro pure Francesco Amadori ahahah!»

Io e il cameriere ci guardammo con una commossa, sentita complicità. Lui mi era solidale perché aveva capito che il mio dopocena sarebbe consistito nel bloccare Simon su Whatsapp, io gli ero solidale perché avevo capito che il suo dovere di educata formalità era un freno al «va' a cagher» delle dimensioni del Bosco Verticale che aveva stampato sulla fronte.

Alla fine Simon prese la sogliola alla mugnaia e il parto lungo e doloroso dell'ordinazione finì.

«Ho letto su Instagram che tu e la tua fidanzata vi siete lasciati da poco…» gli dissi spezzando del pane con fichi e semi di chia.

«Sì purtroppo litigavamo spesso e poi avevamo ambizioni diverse…»

«Cioè?»

«Sai, lei è una che si accontenta, voleva prendere il posto di Gianni Sperti a *Uomini e Donne* e fare una sua linea di costumi a fascia.»

«Ah, be' sì, in effetti non è proprio il massimo... e tu?»

«Io figurati, sono abituato a volare più in alto, a fare business!»

«Certo, fai bene.»

«Voglio fare una linea di t-shirt con Lapo.»

«Ah, con Lapo Elkann?»

«No, no con "LaPo-raccia", sai la pagina Facebook che raccoglie tutte le foto delle poracce che vorrebbero fare le Influencer ma hanno tipo 20.000/30.000 follower?»

«Eh.»

«Ecco, delle t-shirt con delle scritte che le prendono un po' in giro tipo "Meglio Wanna-Marchi che Wannabe!" con la facciona di Wanna Marchi. Figo, eh?»

«Sì, cioè, insomma, non è che prenderle in giro sia proprio carino e poi 20.000 persone che ti seguono non sono pochissime… Mia madre ha sedici follower…»

«Guarda che con 20.000 follower al massimo chiudi la campagna di un beverone dietetico, che comunque non fa posizionamento.»

«Ah, capisco. E oltre al business delle t-shirt hai altro in cantiere?» incalzai sperando che la conversazione potesse in qualche modo risollevarsi.

«Sì sì, voglio fare il deejay ma a livelli grossi, cioè, a livello internazionale, ora ho fatto un remix per Guetta…»

«Caspita, bene! Complimenti! Dove posso ascoltarlo?»

«No, cioè, il remix a David glielo devo ancora mandare, non lo so se gli piace, anzi, hai mica la sua mail o un suo cellulare?»

«Posso… posso chiedere al giornale domani…»

Per fortuna arrivò il cameriere con gli antipasti. Simon fissò i suoi gamberi rossi di Mazara con aria contrariata.

«Qualcosa non va?» gli chiesi con tono prudente.

«No, non va bene. Cameriereeee!»

Cercai il tasto dell'espulsione automatica via aerea come sotto i sedili dei cacciabombardieri durante la Seconda guerra mondiale. Avevo il terrore di quello che stava per chiedere.

«Scusi, questo piatto è un po' scuro!»

«Oddio, non mi sembra, il colore dei gamberi è bello vivace, sono arrivati oggi pomeriggio dalla pescheria che ancora si muovevano...» rispose il cameriere perplesso.

«No, no, è un problema di illuminazione. Io qui devo fotografare il piatto per pubblicarlo su Instagram e non è abbastanza illuminato. Poi devo mettere troppo filtro "Amaro". Non è che avete un abat-jour, una luce stroboscopica, una torcia, qualcosa?»

Il cameriere rispose che purtroppo non poteva aiutarlo, Simon sbuffò, io continuai a cercare il tasto d'espulsione da sotto la sedia meditando, in alternativa, di fare harakiri col coltello del dolce.

«E vabbe', non posso fare le foto ai piatti! Lo riferisca allo chef, non è da ristorante stellato questa cosa!»

Piccatissimo, mangiò i gamberi senza scattare foto ma controllando a intervalli regolari il suo telefono, scuotendo la testa.

«Qualcos'altro non va?» gli domandai.

«No, niente, è che il mio manager è un cretino!»

«Che ha fatto?»

«Mi ha fatto pubblicare la mia foto su un fenicottero gonfiabile ma io gliel'ho detto che i fenicotteri hanno stancato, questo è l'anno dei lama e infatti leggi, leggi questa Marmottina98 cosa dice! Leggi!»

Mi piazzò il telefono in mano.

«Dice… dice… "Oh Simon, quest'anno il top

è il lama, al massimo l'unicorno… i fenicotteri si sono visti pure sei mesi fa sulla bacheca della sorella della Ferragni!".»

Gli ripassai il telefono.

«Capito? La sorella della Ferragni! Cioè, la Wannabe per eccellenza!»

«Mah, non lo so, mi pare caruccia poverina…» contestai timidamente.

«Ma dai, sei la sorella della Ferragni, apriti una churrascaria, cosa vuoi competere? È come se io fossi il nipote di De Gasperi e volessi fare lo statista!»

«Accidenti, sai chi è De Gasperi?»

«No, è una frase che mi ha detto di dire il mio manager quando mi chiedono della Ferragni nelle interviste, c'ho messo tre giorni a impararla, che poi ancora ogni tanto mi sbaglio e dico Gaspare…»

«Non la puoi cancellare la foto col fenicottero gonfiabile?»

«Nooo, ma che scherzi, queste sono le basi! Non si cancellano le foto, poi il mio pubblico se ne accorge e si chiede perché, passo da sfigato che ha sbagliato a pubblicare un contenuto, cioè, questo è marketing!»

«Un fenicottero è un contenuto?»

«Certo!»

«Ah, e se un gonfiabile rosa voi instagrammer lo considerate un contenuto, una cazzata allora cos'è?»

«Che vuol dire?»

«Nulla. Uh, guarda i nostri secondi!»

Mentre tagliava il suo pesce come fosse stato una capricciosa e io assaggiavo i miei spaghetti, mi domandò perché una come me non avesse un fidanzato.

«Ho trentanove anni, un figlio, sono indipendente, sono reduce da una storia travagliata che mi ha lasciato qualche segno e ho un carattere di merda, non sono la candidata ideale a diventare la fidanzata di qualcuno, credo. E poi è pieno di casi umani in giro...» Lo dissi concedendogli la tenera illusione di averlo appena escluso dalla lista degli uomini infrequentabili.

«A me piacerebbe molto uscire con te, ti trovo molto affascinante...»

«Hai tredici anni meno di me...»

«Che problema c'è? A me sono sempre piaciute quelle più grandi!»

«La tua ex ha diciannove anni.»

«Che c'entra? Ma lei infatti era una ragazzina...»

«Quando vi siete lasciati hai detto a "Novella 2000" che non avresti trovato mai più una ragazza matura come lei, l'ho letto su Google cercando informazioni su di te prima di uscire.»

«Quello l'ho detto perché io e lei ci siamo messi d'accordo. Sai, fingendo di essere rimasti amici abbiamo ottenuto un sentiment positivissimo dei nostri fan che così non si sono spaccati andando o con lei o con me. La Nicole, quella di *Temptation Island* per dirti, dopo che s'è lasciata con Diego e ha detto alla stampa che lui la prendeva a schiaffi ha perso un sacco di follower che invece sono rimasti con Diego. Molti non le hanno creduto...»

«Ho capito, ma ha fatto bene a dirlo se era vero!»

«Eh, intanto c'ha rimesso 78.000 follower a ieri. Oggi saranno scesi di altri 330/440.»

«Ma l'ha denunciato?»

«No no, deve fare il Trono il prossimo anno, se ha beghe legali con un ex tronista poi rischia di perdere il contratto e lei ci tiene a diventare tronista.»

«Ah. Quindi... non siete rimasti in buoni rapporti tu e la tua ex?»

«No, ma di che. Stiamo con gli avvocati.»

«E perché?»

«Perché lei quando va a fare le serate usa ancora il manifesto con la nostra foto insieme a Gardaland, cioè, mi usa per farsi pubblicità, capito? C'è anche scritto "Federica, la ex di Simon Marani stasera al Pineta!". Usa il mio nome, capisci? Abbassa il mio posizionamento...»

«Capisco. Sono problemi...»

«Io ora voglio salire di livello, magari con una donna di un certo tipo, un po' colta, un po' adulta, una che dica le cose giuste nelle interviste, con cui magari ci possiamo scambiare i target, capito? Io le do un po' dei miei follower più basici, lei mi dà i suoi di più alto profilo...»

Mi fissava per decifrare la mia reazione. Se non avevo capito male questo *minus habens* mi stava proponendo un matrimonio di interesse 2.0. Non era attratto da me ma dal mio «posizionamento». E magari nel suo delirio narcisistico era anche convinto che io potessi trovare l'offerta vantaggiosa.

«Quindi vorresti uscire con me per racimolare qualche follower che abbia almeno la licenza elementare, mi pare di capire» gli dissi con un ghigno sarcastico.

«Ma scherzi? Tu a me piaci proprio come donna, poi che c'entra? Potremmo avere degli evidenti vantaggi mediatici entrambi se ci vedessimo...»

«Non sono abituata a ragionare in termini di "evidenti vantaggi mediatici" quando esco con qualcuno, scusami.»

«Non mi fraintendere, neanche io...»

Mentre cercava di convincermi della buonafede delle sue intenzioni, la mia borsa chiusa, poggiata sullo sgabello accanto, cominciò a vibrare come se all'interno ci fosse stato un cobra reale.

«Scusa, deve essere successo qualcosa, il mio telefono sembra impazzito» spiegai a Simon con una discreta apprensione. Aprii la borsa e afferrai il cellulare per capire cosa fosse accaduto. Il telefono era un fuoco pirotecnico di notifiche. Pensai che probabilmente qualcuno avesse pubblicato quella vecchia foto della maturità in cui bevevo del vino da una scarpa del professor Antoni e Marco mi infilava la lingua in un orecchio. O forse avevano scoperto che quel diploma al corso di fotografia che avevo messo in curriculum in realtà era falso. Cioè, a dire il vero una volta ero stata a una mostra di fotografie di Annie Leibovitz, mi sarei difesa dalla gogna mediatica con le unghie e coi denti... La prima notifica che aprii era un messaggio privato su Facebook: «Ma che ci fai a cena con quel truzzo di Simon? Ripigliati!».

Quella seguente era un messaggio su Instagram: «Ahahaha, hai deciso di lasciare il tuo giornale per il trono?».

Tutti i messaggi che aprivo erano su quello che stavo facendo in quell'esatto momento. Come faceva tutta quella gente a sapere che ero a cena con Simon? Alzai lo sguardo e gli chiesi spiegazioni.

«Ti ho taggata con me al ristorante.»

«Cosaaaa?»

Andai a vedere il suo account Instagram. L'ultima foto pubblicata era una mia mano su un tovagliolo fotografata senza che me ne accorgessi e la scritta sotto: «Con la meravigliosa Selvaggia Lucarelli per una cena gourmet!». A seguire, un cuore. Mezz'ora prima aveva chiesto un petto di pollo alla piastra e la chiamava cena gourmet.

«Potevi chiedermi se mi faceva piacere far sapere i fatti miei. Dalle mie parti si usa così» gli dissi seccata.

«Mi pareva una cosa carina, mica c'è niente di male... Poi guarda i commenti sul mio account, sono tutti positivi... guarda, cassatina97 dice che siamo bellissimi insieme...»

«Ma insieme cosa? C'è la foto della mia mano su un tovagliolo!»

«Luppolino2000 dice che con la mia bellezza e la tua intelligenza faremo un figlio super!»

«Ma quale figlio… scusa che poi tra l'altro cosa vuol dire con la tua bellezza e la mia intelligenza? Cioè, questo luppolino sta dicendo che io sono un cesso?» Simon neanche mi ascoltava, fissava lo schermo in preda a un'esaltazione incontenibile.

«Ti dico solo che ho preso 1289 follower in mezz'ora. Senti, secondo me dopo questa cena dovremmo fare una vacanza in un posto un po' chic, non quelle cose tipo Formentera o Ibiza che ci vanno tutti. Che ne so, tu dove sei stata in vacanza l'anno scorso?»

«Azzorre.»

«A Zorre? Bello. Ecco per esempio Zorre potrebbe essere perfetta, altro che Londra o Parigi, Gianluca Vacchi per dire a Zorre non ci si è mai taggato.»

«Azzorre, non Zorre. Sono isole, non una città. Comunque senti, io non ci vengo in vacanza con te e non mi piace sentirmi usata. Cameriere, ci può portare il conto? Grazie.»

Simon era visibilmente deluso. Io ero visibilmente irritata. E neppure tanto per Simon e la situazione surreale che stavo vivendo, ma per la mia stupidità. Sarei dovuta rimanere a casa quella sera, avrei dovuto avere il coraggio di fare i conti col fatto che il mio ex uscisse con la sua fisioterapista. In fondo era un anno che lei gli metteva le mani addosso, lui stava semplicemente ricambiando. Era una gentilezza.

«Comunque il conto non ce lo portano, figurati, ho taggato il ristorante su Instagram…» mi disse Simon già ringalluzzito.

«E quindi?»

«Quindi ti pare che ci fanno pure pagare… Anzi, a proposito, mi ha già scritto la ditta di tovaglioli, quella della foto con la tua mano, per ringraziarmi. Ci manda una fornitura di biancheria da tavola per dodici persone e un set di asciugamani con le iniziali, che tanto poi io mi rivendo su Depop…»

Invece il conto arrivò. Sbirciai. 576 euro senza mezzo centesimo di sconto. Simon tirò fuori la sua carta di credito inveendo contro questi vecchi imprenditori che non capiscono il potenziale del web, mi anticipò che sui social avrebbe parlato malissimo di questo posto in cui non facevano neanche il pollo alla piastra e mentre il cameriere gli consegnava la ricevuta, arrivò lo chef Dantòn a salutarci. Meditai di andare in bagno e scappare attraverso le fogne della città per rimettere il naso fuori solo nella periferia di Berlino.

«Carissimi ospiti, come è andata la cena?» ci domandò Dantòn stringendoci la mano con un sorriso gentile.

«Tutto favoloso, grazie. Gli spaghetti con le lumachine erano davvero...»

Simon mi interruppe bruscamente.

«Guardi, per carità, lei il suo lavoro lo sa fare, e glielo dico io che ceno sempre fuori per lavoro, ma insomma, io vi faccio pubblicità con 700.000 persone e voi mi fate pagare? Non si è mai visto...»

L'aveva detto davvero. Aveva appena detto che lo chef Dantòn, uno che aveva cucinato per il papa e la regina Elisabetta, uno che si era inventato il tacchino alla Dantòn, uno che aveva più stelle della galassia di Andromeda, uno che sapeva fare la lasagna della nonna come il gelato molecolare, uno che nel 2017 aveva aperto dodici ristoranti nel mondo da Lima a Toshkent e al cui passaggio le uova si schiudevano espellendo pulcini plaudenti, aveva bisogno di pubblicità sull'account Instagram di Simon Marani? Ebbi l'irrefrenabile impulso di ucciderlo, lì, mi immaginai dalla Leosini, vent'anni dopo, con lei che mi diceva: «Il giovanotto naïf appariva strambo nei suoi vezzi e nelle sue ambizioni, con quell'addominale sovraesposto avrebbe forse concupito innumerevoli fanciulle, ma non la coriacea giornalista che lei fu!». E poi io le avrei raccontato che Simon aveva ordinato il pollo alla piastra e voleva la mail di Guetta e che confondeva il latino con l'inglese e aveva detto che era lui quello che faceva pubblicità a Dantòn e a quel punto io lo so che la Franca mi avrebbe perdonata.

Lo chef stellato capì che non aveva davanti un cliente ma un semplice caso umano e replicò con un elegante e definitivo: «Guardi, hanno provato a mettermi sui social, mi hanno spiegato Instagram e queste cose dei filtri, ma dopo ventiquattr'ore ho capito che a me l'unico filtro che interessa è quello antigrasso della cappa della mia cucina, quindi abbia pazienza, ma qui ancora si mangiano uova allevate a terra, si servono verdure del contadino, si butta in pentola solo pasta fatta in casa e si usa presentare il conto. Se questa ostinata abitudine di farmi pagare per le materie prime, per il mio lavoro e per quello dei cinque cuochi in cucina le sembra inopportuna o fuori tempo, c'è un'ottima rosticceria qui di fronte che sono certo baratterà un selfie davanti al bancone con un vassoio di fiori di zucca fritti. È stato un piacere avervi qui. Buona serata».

Uscii con la vergogna impregnata nei vestiti. Chiamai un taxi ignorando la proposta di Simon di accompagnarmi a casa e bloccai sul nascere qualsiasi tentativo di conversazione. Al momento di salire sul taxi, dopo un mio saluto veloce, volontariamente gelido, Simon mi disse che anche se non avessi avuto più voglia rivederlo c'era una cosa importante che voleva dirmi. Una cosa che voleva io sapessi, perché certe cose lui quando a una persona ci teneva veramente le diceva.

«Il filtro Struttura ti invecchia. Non usarlo per le tue foto su Instagram, dammi retta.»

Non gli chiusi le dita nella portiera del taxi solo perché su Instagram il suo mignolo amputato sarebbe stata senz'altro una storia di grande successo.

Il piacere è soggettivo

Se dovessi decretare il vincitore della speciale classifica "casi umani più casi umani in cui sia mai inciampata nella mia esistenza", direi che Paolo vincerebbe a mani basse. Ancora oggi, quando mi capita di ripensare a lui e all'episodio che ha sancito la fine (o forse sarebbe meglio dire il non inizio) della nostra storia, mi domando se Paolo sia stato un incontro casuale o il piano perverso di qualcuno che voleva punirmi per i miei rossetti rosa perlato anni '80 o per aver votato Capezzone anni addietro.

La storia iniziò così. Leon, una volta a settimana, frequentava un'importante scuola di teatro nel centro di Milano. C'erano ragazzini di tutte le età, lui era discretamente portato, l'insegnante di recitazione era un tipo buffo e io, in quell'ora scarsa di lezione, lo aspettavo di fronte, in un vecchio bar meneghino di quelli con gli specchi liberty e i bicchieri opachi, consumati dalla paglietta per lavare i piatti. Ogni volta che lo andavo a prendere, all'uscita, notavo una ragazzina altissima, molto più alta degli altri, con dei favolosi occhi verdi e un'aria che poteva sembrare scandinava. Notavo anche la madre, che la attendeva sempre davanti alla porta con un'espressione malinconica, perché era ancora più bella della figlia. Un caschetto di capelli biondo cenere, mai un filo di trucco, un paio di occhiali da vista che, anziché renderla più severa, le regalavano un'aria docile e sensuale. Mi chiedevo puntualmente che storia avessero quelle due e perché non ci fosse mai un uomo con loro. Se io fossi stata un uomo avrei desiderato circondarmi di creature così ogni frazione di minuto della mia esistenza. E invece, la bionda col caschetto pareva condividere la mia stessa sorte. Con la pioggia, col vento, col sole cocente e con la nebbia più fitta, se ne stava sempre lì da sola senza mai guardare gli altri, senza salutare nessuno, con un unico sorriso in tasca da tirar fuori appena la sua bambina metteva un piede fuori dalla scuola di teatro. La bellezza della ragazzina e della mamma mi pareva un caso di naturale coerenza genetica e finii per farci l'abitudine. A giugno, da Leon, sapevo solo che la piccola si chiamava Lucy, che era per metà danese e nulla più, anche perché a Leon lei non era simpatica, diceva che quando si arrabbiava parlava nella sua lingua e secondo lui offendeva tutti senza prendersi la responsabilità delle sue parole. Me lo raccontava divertito anche Bruno, l'insegnante di recitazione, un uomo bassino, che portava degli occhiali vintage, con le lenti spesse alla ragionier Filini. Somigliava a Carlo Bucciros-so, ogni tanto esplodeva in una specie di risata asinina che lo rendeva, se possibile, ancora più buffo. Mi attaccava sempre dei bottoni infiniti e sebbene avessi capito che gli piacevo, per mia fortuna non si azzardò mai a prendere una qual-che iniziativa di corteggiamento esplicito.

Il giorno della recita finale, per la prima volta, la mamma di Lucy si presentò con un uomo. Ero lì, nella confusione più molesta, che sceglievo i posti a sedere per me e per la mia amica Miche-la, quando li vedemmo entrare dal fondo della sala. Per almeno cinque secondi rimanemmo chi-ne, trasformate in statue di sale nell'atto di farci spazio tra una sedia e l'altra come la moglie di Lot quando si girò per vedere Sodoma brucia-re. Sodoma era, nello specifico, caschetto biondo accanto a un uomo di una bellezza sconcertante. Caschetto biondo, di fianco a lui, era un cesso a pedali. E in più si permetteva di continuare ad avere quell'aria imbronciata anziché quella di una che aveva vinto la Lotteria di tutte le galassie. Lui ricordava il Paul Newman di *Hud il selvaggio*, quando Paul cominciava a perdere l'aria da cherubino per prendere quella più intensa e stropicciata che l'ha reso l'idolo femminile più trasversale di sempre. Jeans sbiaditi, una t-shirt anonima verde acqua e una cartella rosa con le Winx in mano, al suo passaggio succedeva quella cosa che talvolta ho visto succedere al passaggio di qualche super modella in giro per Milano. O della statua di santa Rosa a Viterbo: il mondo si inebetiva. Mamme, papà, bambini, babysitter, maschere del teatro, animali da compagnia, venditori di bibite e bigliettai interrompevano qualsiasi cosa stessero dicendo o facendo per ammirare questa figura divina, perfetta, magistrale.

«Quel coso lì che sta camminando è un effetto speciale dello spettacolo, vero? Non esiste sul serio…» mi disse Michela seguendolo con lo sguardo.

«Credo sia stato più facile ricreare Heath Ledger al computer nelle scene mancanti del film dopo la sua morte che creare uno così» replicai io. C'erano bambini che lo indicavano come fosse stato il papa sulla papa-mobile. C'erano nonne in menopausa da trent'anni che tornavano fertili come campi di miglio del Wyoming, mogli che con una mano allontanavano il marito da sé, come a dire: "Io da adesso non sono più cosa tua", mariti criptogay che tiravano in dentro la pancia. E poi c'eravamo io e Michela. Lei aveva deciso che non avrebbe smesso di guardarlo finché non se ne fosse tornato a casa con moglie e figlia, quindi si era già scusata perché Leon avrebbe potuto recitare il *Re Lear* come *I tre porcellini*, che tanto lei sarebbe stata girata da un'altra parte, visto che lui si era sistemato a metà sala, di fianco a una tizia che appena le si era seduto accanto era entrata in uno stato di morte apparente. Io cercai di racimolare una manciata scarsa di dignità e finché non si spensero le luci lo guardai con la coda dell'occhio sottoponendo il bulbo oculare a sforzi sovrumani, tanto che a un certo punto temetti che mi fosse spuntato l'occhio parietale al centro del cranio come a certi rettili.

Della recita non fregò niente a nessuno e appena le luci si riaccesero ci furono i famosi novantadue minuti di applausi. Solo che tutti applaudimmo guardando non il palco, ma Lui. Al bar, in cui io e altre mamme andammo a prendere un caffè mentre i bambini giocavano alla festa post-recita, Lui arrivò da solo. Aveva un giornale sportivo in mano, si sedette al bancone salutandoci distrattamente. Calò il silenzio imbarazzato che capita alle gite scolastiche quando il professore, al ristorante, si viene a sedere al tuo tavolo mentre chiacchieri con gli amici. Avevamo vent'anni per gamba, alcune di noi erano al secondo divorzio ed eravamo ridotte allo stato di bimbominkia. Caterina, la più sgamata di noi, disse ad alta voce che era bello aver visto tanti padri allo spettacolo. «I papà oggi sono molto più collaborativi, va detto!» continuava a ripetere questa miserabile, patetica ruffiana.

«In effetti io questa crocifissione perenne dei padri non la condivido per nulla, pensate ai nostri padri, o peggio ancora ai padri dei nostri padri, loro sì che erano solo lavoro e poche chiacchiere a tavola, prima di andare tutti a dormire!» avevo replicato io, più ruffiana di lei.

Andammo avanti per un po' a discutere di padri in tutte le sfumature possibili ma quando arrivammo al tema "patriarcato nel cristianesimo" e Lui non fece alcun cenno di voler partecipare alla conversazione, quasi tutte le mamme si arresero e se ne tornarono a casa. Tutte tranne me e Caterina, che non aveva alcuna intenzione di mollare la preda. Come in una specie di tacito duello, entrambe avevamo deciso che finché Lui sedeva lì, nessuna delle due avrebbe lasciato l'altra da sola in quel bar. Ero pronta a resistere alla fame, al freddo e alle intemperie, a ordinare il dodicesimo caffè, a lucidare il bancone con il gomito e a caricare l'ultima lavastoviglie di fine giornata, ma quando Caterina chiamò al telefono la sua babysitter peruviana e le disse: «Mi vai a prendere il tato alla festa della scuola di teatro per favore che io sono da tutt'altra parte?», capii che avevo perso. La maledetta era al bar di fronte a scuola ma pur di non mollare la preda aveva appena incaricato qualcun altro di portare il figlio a casa. Io non avevo tata, non avevo un marito, Michela era filata via appena finita la recita e avevo un destino segnato: lasciarle campo libero. E così fu, anche perché tanto Lui non aveva alzato lo sguardo dalla «Gazzetta» neppure per girare il suo caffè americano, quindi ero ampiamente rassegnata all'invisibilità. Del resto, perché uno così avrebbe dovuto scambiare due chiacchiere con una qualunque di noi? Inoltre, aveva una moglie bellissima e noi altre stavamo facendo qualcosa di molto scorretto, qualcosa che, se fatto con uno dei nostri mariti, avrebbe scatenato una faida con morti e feriti. Pagai e, mentre salutavo Caterina, vidi che anche Lui era alla cassa. Tirai un sospiro di sollievo: avremmo perso tutte. Invece, quando ero già sul marciapiede, Lui apparve dietro di me e come se un suo sorriso fosse la cosa più naturale dell'universo e non uno shock traumatico da psicoterapia decennale con ipnosi regressiva, mi sorrise: «Vai a riprendere Leon?».

Sapeva il nome di mio figlio. Perché?

«Sì, anche tu vai a prendere la bambina?» farfugliai intontita dalla sua bellezza.

Mi rispose che sì, la portava a mangiare una pizza e quella sera eccezionalmente Lucy dormiva da lui. Era separato, dunque. Ecco perché non si vedeva mai e oggi lui e caschetto biondo non erano andati via insieme.

«Perché non venite anche tu e tuo figlio a mangiare con noi? Una cosa al volo, qui vicino. A proposito, io sono Paolo.»

Dovette insistere tantissimo: un secondo netto. Al suo ingresso in pizzeria la scena fu identica a quella a cui avevo assistito due ore prima: appena Paolo appariva nell'orizzonte visivo delle persone, le persone non potevano togliergli gli occhi di dosso. Alla sua vista, il pizzaiolo davanti al forno fece bruciare due capricciose e metà sala smise di masticare. La cena fu veloce e informale con l'unico inconveniente che Lucy e Leon si stavano reciprocamente sulle balle e a Leon sembrava stare parecchio sulle balle anche Paolo, perché continuava a guardarlo in cagnesco e aveva lasciato metà margherita nel piatto.

Tornando a casa, mezz'ora dopo, mi disse: «Quel Paolo è un po' troppo bello e tu lo guardi con la faccia di Batman quando vede Catwoman». Quando andai a dargli la buonanotte, gli spiegai che la bellezza non è una cosa importante e continuai a mentire dicendo che comunque per me sarebbe stato solo un amico.

Fin qui, sembrerebbe l'inizio di una grande storia d'amore. Quelle in cui due genitori single con figli coetanei che inizialmente non si sopportano poi finiscono per trovare la quadratura del cerchio e vanno a vivere in una grande casa con finestroni luminosi e cucina con isola, intorno alla quale fare colazione tutti insieme con un labrador bianco che scodinzola sotto la sedia. Le cose, invece, andarono un po' diversamente.

Paolo era un architetto, aveva sposato sua moglie nel periodo in cui viveva e lavorava vicino Copenaghen ed era tornato un anno e mezzo fa a Milano con la famiglia al seguito. Diceva di essere separato da tempo ma di avere questo rapporto particolare con la ex per cui lei (che non lavorava) lo seguiva comunque nei suoi spostamenti per permettergli di stare il più possibile con la bambina. Mi pareva bizzarro, ma era così, perché Paolo, in effetti, viveva tecnicamente da solo. Ne ero certa perché iniziò a invitarmi a casa sua fin da subito e io non mi feci pregare. Aveva un attico con vista Madonnina, si circondava di cose belle, aveva progettato due musei in Danimarca e stava lavorando alla progettazione della nuova ala dell'aeroporto di Madrid. Non era mai a corto di argomenti e sebbene la sua bellezza continuasse a imbarazzarmi e a imbarazzare il mondo, sembrava così assuefatto all'attenzione altrui che alla fine mi abituai anche io. Mi pareva impossibile che un uomo solo possedesse così tante qualità straordinarie senza avere almeno un omicidio alle spalle o un debito di sei milioni di euro con un usuraio russo o, insomma, qualcosa di così macroscopico da annullare tutto il resto. Dopo un paio di volte che ci vedevamo gliel'avevo anche detto: «Allora, dov'è la magagna, su!».

Lui aveva sorriso senza rispondere e fu così che la risposta arrivò per conto suo una settimana dopo. Eravamo sul divano di casa sua, come del resto era accaduto anche le cinque sere precedenti e come le sere precedenti, quando arrivava il momento di togliersi i vestiti, lui si alzava per andare a bere o fare altro e mi mollava lì, sul più bello, dicendo frasi criptiche tipo: «Che bella che sei mannaggia a me» o: «Fammi distrarre un attimo va'…». Io non capivo perché dovesse distrarsi e non capivo quale fosse il problema, per cui quella sera glielo domandai senza particolari remore: «Perché ci fermiamo puntualmente sul più bello?».

«Perché per me non è il più bello» mi rispose con l'aria di chi si aspettava la domanda.

«No, be', certo, intendo dire nel momento che… che… che conduce al più bello, ecco» replicai.

«Questa è la tua idea, ma il piacere è un'idea soggettiva e io ne ho una mia molto particolare che non so se capirai e soprattutto accetterai…»

Eccola lì. Ti pareva. Non poteva essere tutto così come sembrava, ovvero che il sosia di Paul Newman mi amasse e desiderasse farmi girare il mondo al suo fianco mentre io accudivo Lucy, Leon e i nostri due gemelli biondi avuti con parto naturale in acqua, immersa in una vasca con olii essenziali. No. In effetti non poteva essere, è evidente.

«Ok, qual è la tua idea di piacere? Spero non quelle cose alla Mr Grey perché guarda, io sono pure femminista radicale, se mi tiri uno schiaffo perché ti piace, il giorno dopo ti faccio dedicare un tweet dalla Murgia e sappi che s…»

«No, guarda, sei fuori strada, a me Mr Grey fa schifo e *Cinquanta sfumature di grigio* è roba da donnette irrisolte che cercano l'emancipazione in ufficio e l'età della pietra a letto.»

«Ah, ecco, menomale, mi ero già preoccupata... Aspetta, non è che ti piace prenderle, no? Perché in quel caso te lo dico subito, ho avuto un fidanzato che ogni tanto mi chiedeva di tirargli un pugno e io no-no-no, finché un giorno gliel'ho tirato per sfinimento e gli ho rotto il setto nasale, una brutta storia. Ora si è rifatto il naso, ho visto una sua foto su Facebook l'altro giorno, sembra Ivana Spagna...»

«No, neanche.»

«E quindi cosa? Vuoi che ti cammini sopra col tacco 12 e faccia un po' di vendemmia sulla tua cassa toracica? Che ti dica che sei un bambino cattivo, che...»

«Io non voglio fare e non voglio che tu mi faccia un bel niente.» Mi interruppe con gentilezza, ma era chiaro che la mia ironia lo stesse infastidendo.

«Cioè? Sei un prete? Sei di Comunione e Liberazione?» Ero sempre più perplessa.

«No, semplicemente a me non piace partecipare, mi piace guardare.»

«Guardare cosa? Un bel film? I tramonti sui Navigli? Il calcio?»

«No. Le donne che mi piacciono mentre lo fanno con un altro.»

Ora io dico, avevo avuto fidanzati di una bruttezza commovente e certificata che a letto non si erano mai tirati indietro, perché una volta che ero la donna di Paul Newman, Paul Newman mi diceva che lui guardava e basta? Non sapevo cosa dire. Intanto mi ricomposi sul divano, sistemai nervosamente i cuscini.

«Non devi rimanerci male, tu mi piaci davvero, ma io ho avuto tutte le donne che potessi desiderare dai sedici anni in poi, scopare mi ha annoiato. Mia moglie mi ha assecondato per anni in questo mio desiderio, ma poi si è stufata, lo faceva per me, non le piaceva…»

Ah, ora avevo capito perché girava con quella faccia mesta. Misi subito le cose in chiaro: «Ascolta, non sono cose che mi piace fare, non ho mai amato terze presenze in camera da letto e certe volte a dire il vero mi sono parse di troppo anche le seconde, per cui temo di non poterti accontentare...».

«Ma ci hai mai pensato, almeno?»

«No!»

«È perché nessuno te l'ha mai chiesto, giusto?»

«Per fortuna ho avuto sempre uomini a cui piaceva giocare in campo anziché stare in panchina, sì.»

«Pensa che io sarei lì e questa cosa mi farebbe impazzire, ti sentirei ancora più mia proprio perché faresti questa cosa, per me...»

«Tu sei lì ma io ho le mani di uno sconosciuto addosso e questa cosa, se permetti...»

«E chi ha detto che sarebbe uno sconosciuto?»

«Fammi capire, vuoi che chiami un mio parente?»

«No, chiamerei qualcuno io. E io per queste cose mi rivolgo a persone fidate, mica improvviso…»

«Cioè, fammi capire: siete un'organizzazione? Le tre scimmiette Io Guardo, Io Filmo, Io Trombo?»

«Siamo io e un'altra persona, solitamente un amico. E nessuno filma niente. È una cosa tra adulti consenzienti, nessuno gioca sporco.»

«Sì ma ci sarebbe una terza persona che potrebbe andare a raccontare cosa facciamo… e poi se lo incontrassi in giro per Milano? O sul lavoro?»

«Si usano le maschere per queste cose, non si fanno a volto scoperto.»

Oddio, *Eyes Wide Shut* in salsa meneghina. Ero affranta. Paul Newman non aveva nessuna intenzione di cedere. E di concedersi. E di concedermi la speranza che ci fosse un uomo normale a un qualche angolo di strada su cui inciampare a Natale, carica di pacchi, come nelle commedie romantiche ambientate a New York. Paolo intuì l'attimo di fragilità. E ne approfittò: «Il mio amico è di là, se vuoi te lo faccio conoscere. Senza impegno, eh.».

«Scusa? Di là? Cosa fa di là? Lo tieni in una cassapanca e lo tiri fuori come il piumone invernale quando serve?»

«Ma no, questo attico è diviso in due appartamenti, il suo è quello confinante. Dai, gli dico di passare un attimo, mettiti la maschera! Ah, è inglese ma parla italiano.»

Paolo andò in bagno, smanettando col telefono. Era convinto che alla fine avrei ceduto. Tornò porgendomi una maschera rossa, di quelle da carnevale veneziano, decorata con dei pizzi di una certa eleganza.

«Senti, io me la metto e sto anche al gioco di conoscerlo questo tuo amico di perversioni, ma ti anticipo che non ho intenzione di combinare nulla. NULLA, chiaro? Ci sediamo, facciamo due chiacchiere…»

«Ma certo, non sei obbligata a fare niente, però magari scopri che ti piace.»

Sentimmo bussare. La bassa manovalanza era già qui. Paolo aprì la porta. Ed è così che vidi entrare una specie di gnappetto ossuto con dei jeans troppo larghi sulle gambe e una camicia blu già pezzata sotto le ascelle per via del caldo insopportabile di inizio estate. Indossava una maschera nera che gli copriva anche la bocca, con degli inserti dorati e un'unica piuma, che avrebbe dovuto renderlo misterioso, così come i guanti di pelle scura. Eppure aveva un modo di camminare, una corporatura che erano stranamente familiari.

«Piacere di conoscerla, *lady. I'm David!*» Pronunciò le quattro parole camuffando la voce e fingendo un inglese che sembrava madrelingua di Barletta. Io al "conoscerla" avevo già capito chi fosse. Non potevo crederci. Bruno, l'insegnante di recitazione di mio figlio e di sua figlia, era d'accordo con Paolo per fare questi giochini. Mi scappò da ridere. Cioè, era la sera in cui pensavo di essere posseduta da Paul Newman e invece mi stava per toccare Buccirosso? Buccirosso che si credeva pure capace di riprodurre l'accento da lord inglese e il vocione di uno stallone navigato?

Mi sfilai la maschera in un attimo: «Mi scusi Bruno, ma a parte il cattivo gusto della situazione e il sospetto che il vostro sia un sistema collaudato con le mammine fuori dalla SUA scuola, mi faccia capire una cosa ancora più importante: ma lei la recitazione la insegna così a mio figlio? Perché se il livello è questo, l'anno prossimo lo iscrivo a lancio del disco».

Lo vidi avvampare sotto la maschera.

«Ma quale Bruno, si chiama David, è un grafico di Newcastle...» provò a recuperare Paolo.

«Per cortesia, Paolo, non offendere la mia intelligenza. Bruno, togliti quella maschera che tra l'altro con quella piuma dritta in testa e il tuo metro e sessanta più che una macchina da sesso sembri un beccaccino!» gli dissi avvicinandomi a lui con fare minaccioso. Bruno si sfilò la maschera. Era completamente sudato, ansimava dall'agitazione.

«Non è come pensi, sei la prim… ok la seconda della scuola che coinvolgiamo in questo gioco, ma non è che facciamo niente di male, ci siamo conosciuti quando Paolo si è trasferito qui accanto a me, abbiamo fatto amicizia, la figlia voleva fare la mia scuola, abbiamo parlato delle nostre fantasie e visto che erano compatibili ci siamo messi a giocare insieme. Ma peschiamo un po' ovunque, non è che la scuola sia il posto in cui…»

«Pescate un po' ovunque? Ma non siete capaci di trovarti tu Paolo una buona psichiatra e tu Bruno una buona estetista che ti depili almeno la base del collo, e di smetterla con questa messa in scena da casi umani a quaranta e cinquantadue anni suonati?»

Afferrai le mie cose e mi avviai verso la porta. Paolo allungò un braccio per fermarmi. «Dai, guarda che tu mi piacevi davvero, eh, piacevi anche a Bruno, non è che ho scelto te per caso tra tutte le mammine quella mattina dopo la recita...»

Sbattei la porta con una tale veemenza che dal Bosco Verticale quella sera venne giù metà del fogliame.

Il sindaco ci sta spiando!

Ci sono cascata pure io, lo confesso. Superata ampiamente l'età in cui è anagraficamente legittimo essere attratte dai maledetti, sono stata colta dalla sindrome della groupie e ho pensato che, tutto sommato, in piena estate e con mio figlio in vacanza col padre per un mese, avrei potuto diventare la donna di uno dei frontman più ambiti e controversi del Paese.

L'idea malsana mi venne quando l'ufficio stampa di lui mi fece avere l'invito a un suo live in un'arena all'aperto specificando: «Greg ci tiene tanto. E avrebbe piacere di salutarla a fine concerto». Ma soprattutto, quando scoprii che il mio ex – il quale mi aveva inviato il giorno prima il messaggio «Era giusto chiudere ma non riesco più a vivere senza di te» – aveva appena prenotato tre settimane a Mykonos dove avrebbe affittato una villa col noto deejay e puttaniere "El Diablo". Insomma, ero ancora abbastanza lontana da una sana elaborazione del lutto.

Greg era famoso per la sua musica ma soprattutto per l'uso spregiudicato dei social network, su cui non esitava a postare invettive notturne contro case discografiche, band rivali, politici, donne, cartoni animati o vicini di casa che non gli erano simpatici. Una volta postò un video in cui dava fuoco a un cartonato di Gianni Morandi e spegneva le fiamme facendoci la pipì sopra, cosa che gli costò un capannello di casalinghe inferocite sotto casa per giorni. Per risolvere la questione si arrese a un selfie riparatore in cui

Gianni, per far pace, gli offriva un pinzimonio con la verdura del suo orto. Foto di Anna. Delle minacce delle casalinghe inferocite in realtà non gliene fregava nulla. Semplicemente, le casalinghe impedivano allo spacciatore di entrare a casa sua senza farsi notare.

Greg non era bello e pesava sì e no quarantacinque chili con la chitarra, ma era un talentoso affabulatore, scriveva canzoni in cui si struggeva per la sua ex che lo aveva lasciato per un noto giallista e questa sua aura da uomo sensibile e sofferente gli aveva regalato una platea di adoratrici che per una notte con lui avrebbero consegnato i figli a trafficanti d'organi indiani. Fu così che andai a questo concerto, mi sorbii due ore di canzoni indie rock e un paio di sermoni vaneggianti in cui Greg sosteneva che i politici stanno manipolando le masse grazie all'utilizzo di onde magnetiche sprigionate dai tostapane a nostra insaputa e che papa Francesco era figlio di Satana.

Quando salutò il pubblico con un lancio a volo d'angelo dal palco piombando su un bibitaro che riportò due fratture scomposte e risalì sul palco trascinando con sé una signora sulla sessantina a cui tolse gli occhiali da vista per saltarci sopra un paio di minuti e a cui infilò la lingua in bocca, intuii che forse non sarebbe diventato il padre dei miei figli ma che conoscerlo e avere magari un'avventura con lui, sarebbe stata un'esperienza divertente.

Fu così che finito il concerto telefonai alla ragazza del suo ufficio stampa che mi fece venire a prendere da Tony, il manager di Greg, o almeno così mi disse. Il tizio che mi si parò davanti al cancello sud dell'arena più che un manager sembrava un capo ultrà della Lazio. Credo che la sua unica parte anatomica non tatuata fosse il polmone destro, ma ci avrei scommesso qualcosa solo dopo un'accurata radiografia. I modi dell'ultrà, però, erano decisamente affabili, tanto che mi accompagnò da Greg dandomi perfino qualche indicazione di massima sulla personalità del suo assistito: «Non gli parlare a voce alta perché dopo il concerto i decibel lo infastidiscono, togli anelli e orecchini perché lui ritiene che i metalli interferiscano con le energie del cosmo e comunque il suo batterista è un ex scippatore, te li sfila e tu neanche te ne accorgi. Ah, non bere nulla in sua presenza perché lui ha la fobia di vedere gente che muore soffocata. Però puoi mangiare se vuoi».

«Soffocare bevendo? Scusa e che fobia è questa? Non l'avevo mai sentita» domandai curiosa.

«Manco io, ma comunque è quella di oggi, domani la cambia. Ieri gli facevano paura i mocassini, ha fatto portare via Enzo Miccio che era venuto a salutarlo da due gorilla ucraini.»

La porta della tenda/camerino si aprì e la scena che mi si parò davanti fu la seguente: Greg era sdraiato su un divano verde a petto nudo, senza scarpe, apparentemente addormentato, con il suo iPhone poggiato sulla fronte. Intorno a lui, casa Pitt/Aniston quando la Aniston scoprì la tresca di Brad con Angelina. Non c'era nulla al suo posto: i bicchieri per terra, le mutande sul tavolo, la chitarra sul frigobar, il frigobar sulla valigia, un accappatoio sul ventilatore spento.

«Ma perché ha il cellulare poggiato sulla fronte?» domandai a Tony a bassa voce.

«Perché lui è convinto che i georgiani ci leggano nella mente, le onde del cellulare fanno interferenza.»

«Ah. E scusa, che gliene frega ai georgiani di leggerci nella mente?»

«Nulla, passano il tempo.» Tony sussurrò qualcosa nelle orecchie di Greg e lui spalancò gli occhi come se si fosse svegliato di botto da un'esperienza di pre-morte.

«Dov'è?» disse continuando a guardare il soffitto. Tony mi fece cenno di avvicinarmi.

«Ehi, ciao!» balbettai io con una certa prudenza. Greg rimase per altri trenta secondi a fissare il soffitto, immobile. Io, visto che era trascorso un tempo di reazione superiore alla norma, dissi: «Be', allora vado, complimenti per il concerto...» e mentre stringevo la mano a Tony per ringraziarlo di tutto, Greg si alzò di scatto. Mi venne incontro con un'affabilità da diplomatico svizzero e fece osservazioni normalissime, ostentando un umore normalissimo ma emanando un odore subnormalissimo che era un misto di comprensibile sudore e incomprensibile peschereccio.

«Ti va una spaghettata notturna a casa mia?» mi propose Greg.

Risposi che certo, sarei andata volentieri e Tony – che nel frattempo gli aveva fatto la valigia ed era anche il suo autista – ci portò da lui. La casa di Greg era un seminterrato in zona Lambrate il cui interno si potrebbe riassumere così:

un trilocale in cui erano appena passati i servizi segreti cercando le prove che Greg si stesse radicalizzando. L'unica cosa al suo posto, esattamente come nel camerino poco prima, era il lampadario. Per il resto, credo che un carrello della spesa che spiccava tra tutto, nel bel mezzo del salotto, fosse la fotografia più efficace della situazione.

«Come mai hai un carrello dell'Esselunga in casa?» domandai per dissimulare il trauma.

«Non avevo spicci, mi servivano urgentemente due euro. Che poi neanche sono riuscito a tirarli fuori, pazzesco, c'hai mai provato? Neanche con le martellate, oh.»

No, non ci avevo mai provato in effetti. Non sapevo bene come continuare la conversazione. «Una volta però mi hanno lasciato l'antitaccheggio su una gonna, in effetti è stata dura anche lì… Bene, facciamo questi spaghetti?» proposi.

«Sì, certo, la cucina è lì a destra. Ti dispiace se io intanto esco un attimo a fare una commissione?»

Una commissione alle due di notte. Intuii che non stava andando a comprare il sale grosso. Capii anche che non aveva intenzione di farsi una doccia e la cosa mi preoccupò alquanto, visto che l'odore emanato dal suo vestiario mi provocava giramenti di testa e brevi amnesie. Per esempio, quando uscì e io sentii sbattere la porta, non mi ricordai più perché fossi finita a casa di questo psicopatico borderline. Sui fornelli, totalmente ricoperti da incrostazioni causate da sostanze varie tra cui riconobbi senz'altro sugo di pomodoro, cera e plastica viola fusa oltre a qualcos'altro che avrebbe potuto essere cenere come sabbia nera di Ladispoli, trovai una pentola insolitamente pulita. Dentro, però, c'era un libro sulla storia del Bologna calcio. Aprii il frigo e mi investì l'odore classico della carcassa di cane dopo tre giorni sul ciglio della strada. Era totalmente vuoto, per cui mi domandai come fosse possibile. Allora passai a ispezionare il reparto surgelati.

Il cassetto era incastrato. Tirai con forza verso di me e si aprì all'improvviso uscendo dalla sua sede e volando sul pavimento. All'interno c'era un blocco unico di ghiaccio dentro cui si intravedevano reperti vari. Improvvisamente mi sentii come l'archeologo che si imbatte nel mammut sotto la lastra di ghiaccio. Distinsi nitidamente un cavolfiore viola, un pesce che sembrava appartenere a uno stadio evolutivo di poco precedente l'età del ferro, una scatola di Urrà Saiwa fuori produzione credo da almeno trent'anni e un'informe poltiglia marrone che poteva essere carne di manzo così come resti umani di chitarristi che avevano espresso a Greg il desiderio di intraprendere una carriera da solisti. Fatto sta che la puzza arrivava da lì, faccenda per giunta contraria a ogni legge della fisica, visto che il ghiaccio dovrebbe imprigionare anche gli odori.

Abbandonai il frigo e passai al reparto secchi. Aprendo la dispensa mi investì l'undicesima piaga d'Egitto, ovvero uno sciame di insetti non identificati la cui foga nel volare via mi suggerì una prigionia di almeno sei-otto mesi. Trovai però un pacco di spaghetti ancora chiuso e ben due barattoli di pomodoro. Una riportava sull'etichetta un concorso a premi per vincere una Fiat Duna. L'altra un concorso per vincere un viaggio a New York con visita guidata delle Torri Gemelle. Mi sedetti affranta sul divano fantasia: la fantasia consisteva in macchie di ogni forma e colore più buchi da sigaretta con circonferenze dalle dimensioni variegate. Notai un post-it sul televisore. Trovai strano che dentro un luogo che era il trionfo dell'improvvisazione ci fosse qualcosa di appuntato con metodo. Sul post-it erano segnati i numeri del pronto soccorso, dell'eliambulanza e di Tony. Viste le sei pipette da crack sparse sul pavimento, non mi domandai neppure il perché. Greg rientrò quasi un'ora dopo. Erano le tre, io mi ero addormentata sul divano e quando mi accorsi che lui era seduto accanto a me, era già avvolto in una nuvola di fumo che neanche il Krakatoa.

«Ma gli spaghetti?» mi chiese fissando la tv spenta.

«Non c'era nulla con cui condirli...» gli risposi.

«Hai guardato bene nella dispensa?»

«Sì, è tutto scaduto da un po'...»

«Quello stronzo di Tony non ha fatto la spesa, ora lo chiamo.»

«Ma sono le tre!»

«Lui mi deve rispondere sempre, lo pago per questo! Pronto Tony? Cos'è questa storia che non hai fatto la spesa? E io per cosa ti ho dato 100 euro ieri? Come? Non è vero che non ti pago lo stipendio da sei mesi, a Natale ti ho girato i soldi della serata a Bergamo... ah, siamo già a giugno? Vabbe', vaffanculo!»

«Comunque a me Tony sembra una brava

persona!» buttai lì a Greg che intanto aveva ripreso a fumare dalla sua pipetta viola.

«Non lo so se mi posso fidare di lui. Potrebbe essere d'accordo con il sindaco di Roccella Ionica.»

«Chi è il sindaco di Roccella Ionica?»

«Eh, una volta ho fatto una serata lì nel suo paese e dopo che l'ho conosciuto mi sono capitate delle cose molto strane.»

«Tipo? Non hai digerito la soppressata locale?»

«Macché. Al ritorno, da Roccella, mi sono messo in viaggio alle undici di sera e a mezzanotte mi sono svegliato che ero nel parcheggio dell'autogrill Milano nord. Avevo percorso 1200 chilometri in un'ora, capisci?»

«Forse era la mezzanotte di qualche giorno dopo, non credi?»

«No no, quel sindaco ha un'energia satanica, ora per esempio ci sta ascoltando.»

«Il sindaco di Roccella Ionica sta ascoltando me e te che parliamo in salotto?»

«Sì, mi ha messo una cimice in quel quadro lassù, lo vedi quello con i cavalli?»

«A parte che sono zebre, ma scusa, non è che fumare quella roba ti rende leggermente paranoico?»

«Ah sì? E allora perché l'altro giorno ha chiamato il mio manager per un'altra data e gli ha chiesto come andava la mia intossicazione? Come faceva a sapere che stavo male?»

«Greg, una settimana fa hai pubblicato su Facebook un video in cui vomitavi della roba verde in bagno e chiedevi al presidente della Repubblica di venire a casa tua per ripulire il tuo lavandino con la sua cazzo di lingua, sei stato denunciato per vilipendio, Piero Pelù ha proposto di ritirarti la tessera elettorale e tu gli hai scritto che se lui può cantare tu puoi votare pure per le presidenziali russe, Pelù ti ha dato del Gigi D'Alessio dell'indie, tu gli hai risposto: "Cazzone vieni qui che con i pantaloni di pelle ti ci lego come l'arrosto a Natale" e ti ha querelato pure lui. Poi tu gli hai chiesto scusa proponendogli di fare un duetto al concerto del Primo maggio. Non era proprio un segreto che eri stato male...»

«Vabbe', comunque il sindaco di Roccella Ionica è una persona molto pericolosa, te lo garantisco.»

«Quella nella foto dietro la tv chi è? La famosa Gabriella di cui parli in tutte le canzoni?» gli chiesi per cambiare discorso.

«Sì sì, lei era fantastica, la amavo.»

«Nel pezzo *Spero tu muoia domani* non dici proprio così...»

«No, infatti la odio quella puttana!»

«Ma cosa ti ha fatto?»

«Mi ha tradito.»

«Ah, caspita, è andata con un altro?»

«No, si drogava senza di me.»

«Ah, capisco…»

«Certe cose una coppia deve condividerle… a proposito, ne vuoi un po'?»

«No… grazie io non… non mi drogo.»

«Brava, mi piacciono le donne sane… Comunque dopo quella storia del tentato suicidio ho smesso di amarla…»

«Cioè? Che storia?»

«Dai, quando Tony mi ha trovato quasi morto per terra perché avevo preso troppe pillole e mi ha portato al San Raffaele di corsa… ne hanno parlato tutti i giornali…»

«Sì Greg, ricordo, ma non erano pillole, ti eri fatto dodici confezioni di orsetti gommosi della Haribo e hai avuto un attacco iperglicemico…»

«Vabbe', quello. Comunque adesso chiamo Tony perché io quell'ospitata a *Scommettiamo che* non la voglio più fare…»

«Ma che c'entra ora la tv? Povero Tony, dai lascialo dormire, lo chiami dom…»

«Pronto Tony, senti io non ci vado a *Scommettiamo che*, non vado a fare il buffone in tv, in quel programma di merda in cui la gente ingoia palline e scoreggia una sinfonia di Mozart. No, non mi interessa il contratto, i contratti si strappano, io sono un artista, non segui Kekko dei Modà, segui Greg, io ho un percorso per cui non posso vendere l'anima al sistema. Mi danno quanto? Ma più Iva? Vabbe' senti, però io più di sei pesci rossi non li pesco con la bocca eh. Va bene, otto pesci, chiudiamo a otto. 'Notte!»

Lo fissavo allibita. C'era più rock nella programmazione di Radio Monella che nella vita di quest'uomo. Decisi di rinunciare ai sogni da groupie: «Senti, s'è fatto un po' tardi, io a questo punto...».

«No, che tardi, vieni qui, io vado a dormire alle cinque... divertiamoci un po' insieme...»

«Greg, non vorrei offenderti, ma forse per divertirti con una donna dovresti farti una doccia.»

«Ahhh, ho capito, scusa, hai ragione bambola…»

E fu così che mentre pensavo che si fosse alzato per andare a fare una doccia e che quindi sarei scappata non appena avesse aperto l'acqua, Greg tirò fuori da un cassetto del comò un barattolo con dosatore di quei disinfettanti ospedalieri e cominciò a spogliarsi spalmandoselo su tutto il corpo. Quando vidi che se ne era versato una copiosa quantità anche nelle mutande, afferrai la borsa e scappai verso la porta. Che era chiusa a chiave. Temetti il peggio. «Greg, la porta non si apre.»

«Dai vieni qui, non scappare…»

«Greg dove sono le chiavi?»

Intanto si era sdraiato sul divano nudo e con addosso uno strato di disinfettante misto a sudore misto a fuliggine e residui organici di non so quanti mesi prima. Mi misi a cercare le chiavi ovunque ma non le trovai. «Greg, dove sono queste maledette chiavi? Voglio chiamare un taxi e andare a casa! Greg? Greg?»

Si era addormentato. Il suo sonno non era sonno. Era un momentaneo distacco dalla vita terrena. Lo chiamavo, lo strattonavo, lo insultavo ma lui continuava beatamente a russare. Provai a chiamare Tony col numero che c'era sul post-it ma Tony a me non rispose. La casa, essendo un seminterrato, non aveva finestre. Rimasi seduta senza chiudere occhio, attendendo che accadesse qualcosa. A mezzogiorno, quando ormai pensavo di chiamare i vigili del fuoco dicendo che un tizio che dormiva nudo e puzzava di Lysoform misto a cadavere decomposto mi aveva sequestrato, sentii una chiave girare nella toppa. Era Tony, con la spesa.

«Succede tutte le volte, si chiude dentro e poi butta le chiavi nel water, perché ha paura che mentre dorme il sindaco di Roccella Ionica ne faccia una copia. Anzi, vado a tirarle fuori che a volte quando arrivo lui si è già svegliato ed è già andato in bagno...»

«Grazie per avermi risparmiato i titoloni sui giornali di domani: "Donna sequestrata a casa di Greg e salvata dai vigili del fuoco. Trovate sei pipette di crack e una scatola di Urrà Saiwa che sarà fatta brillare in serata dagli artificieri".»

Tony rise per poi tornare a fare il badante del musicista maledetto che di maledetto, alla fine dei conti, aveva solo l'olezzo sotto le ascelle.

Domani glielo dico

Per molti anni mi sono reputata una donna intelligente. Ho avuto un'alta considerazione di me, ho ritenuto di essere sufficientemente scaltra e con un numero adeguato di mezzi per districarmi nella faticosa matassa delle meschinità maschili. Poi è arrivato Mario. Con Mario mi sono trasformata in una specie di ameba devota e credulona, incapace di distinguere il vero dal falso, gli slanci dalle manipolazioni, un uomo da uno stronzo. Il punto è che Mario era fidanzato da dodici anni. Editore letterario di successo, dai venticinque ai trentasette anni aveva avuto accanto sempre lei, Corinne, conosciuta durante un viaggio in Cina e diventata, tra le altre cose, una delle sue scrittrici più note e di successo. Mario e Corinne avevano una figlia di tre anni e una data fissata per il matrimonio: 6 maggio 2015. Io conobbi Mario otto mesi prima di quel 6 maggio 2015, in un'insolita fase di spensieratezza accompagnata dal primo indizio di (quasi) ritrovata serenità: avevo trascorso ben due settimane senza individuare con certezza un nuovo "uomo della mia vita". E invece, proprio quando la guarigione sembrava vicina, mi ammalai di nuovo.

Conobbi Mario al settecentoventiquattresimo convegno annuale sulle fake news in cui avvenne un lieve, trascurabile incidente diplomatico. Un noto scrittore col riporto disse: «Dobbiamo difenderci dalle fake news come fossimo tutti in trincea sotto i colpi dei nemici!».

Io commentai: «E dai suoi libri chi ci difende? La contraerea israeliana?», quello disse che non replicava solo perché nutriva un profondo rispetto per le mie caviglie sottili, io gli diedi del sessista, lui rispose che aveva tantissime amiche donne, io che avevo moltissimi amici gay. Lui rispose: «Che c'entrano i gay adesso?» e in effetti non c'entravano niente. È che a me quello scrittore era sempre stato sulle balle specie da quando aveva venduto sei milioni di copie nel mondo grazie a un libro il cui protagonista maschile si chiamava Joe Sgarro che voglio dire, già basterebbe per farselo stare sulle balle fino al 2034, ma in più questo Joe Sgarro era pure un detective che riconosceva sempre il colpevole dal modello delle sue mutande. Fatto sta che quando finì il convegno mi fiondai nel retro del palco per rubare due pizzette e un pasticcino dal buffet e scappare via da Firenze col primo treno, ma al carrello dei dolci incontrai Mario.

«Senta, gliela posso dire una cosa *inter nos*,

masticando un bignè per camuffare il labiale? Grazie per aver lasciato intendere che la saga del detective Joe Sgarro fa cagare...»

«Prego, si figuri. Ma lei non è il Mario Rinaldi che lo scorso anno propose all'autore della saga 3 milioni di euro e, si mormorava, lo Strega assicurato se fosse passato alla sua casa editrice?»

«Io ho detto che mi fa schifo, non che mi farebbe schifo arricchirmi con le sue schifezze...»

Mario Rinaldi aveva trentasette anni ma ne dimostrava almeno dieci di più. Suo padre era stato uno degli editori più importanti della storia letteraria del Paese e lui, dopo la sua morte, aveva preso le redini dell'azienda con un'imprevista abilità. Aveva già una discreta corona di capelli bianchi sul davanti e qualche ruga precoce, ma il fisico era quello del milanese-tipo con gravi turbe mentali che si sveglia alle sei del mattino per andare a correre al Parco Sempione. Lo salutai frettolosamente per non perdere il mio treno, lui mi lasciò il suo biglietto da visita e mi dimenticai di averlo incrociato.

Il giorno dopo, a ricordarmi quell'incrocio, c'era mezzo chilo di rose bianche in portineria. E un biglietto di Mario: «Ci viene a teatro con me domani sera a Pavia? C'è *Dieci piccoli indiani*. Agatha Christie ci farà dimenticare Joe Sgarro».

L'invito mi sorprese per due motivi: a) la sera prima ero stata insopportabile e respingente b) Mario Rinaldi era notoriamente fidanzato. Come dimenticare la copertina di «Vanity Fair» in cui lui e la fidanzata scrittrice Corinne Malerba posavano tra gli stucchi del Circolo dei lettori con titolone a effetto «Il nostro amore è un libro aperto»? Io e le mie amiche quella copertina l'avevamo commentata per giorni chiedendoci perché lei si fosse fatta ritoccare talmente tanto che il suo puntovita era più sottile del suo dito mignolo e perché, nel tentativo grafico di uniformare la pelle, nessuno si fosse accorto che le era sparito il naso, tanto da farla sembrare un bull terrier. Del resto, io e le mie amiche avevamo sempre una buona parola per tutti. L'unico che risparmiammo fu Karol Wojtyla in punto di morte, ma già al funerale la mia amica Lara commentò: «Le mani gliele potevano incrociare un po' più su, così pare uno che ha i crampi alla bocca dello stomaco».

Pensai che forse mi ero persa qualcosa. Magari si erano mollati e non lo sapevo. Google segnalava il loro ultimo avvistamento insieme circa un mese e mezzo prima, a un'asta di beneficenza per una onlus nata per sostenere i parenti delle vittime delle fake news. Il battitore dell'asta per giunta era l'ex direttore di un quotidiano nazionale che in un editoriale di sei anni prima aveva scritto che Ruby Rubacuori non solo era la nipote egiziana di Mubarak ma anche una discendente di Ramses III. Era possibile che in quel mese e mezzo di assenza dalle cronache si fossero lasciati. Accettai l'invito e sebbene la scelta di portarmi a Pavia potesse sembrare quella di un fedifrago che «siccome è facile incontrarsi anche in una grande città» incontrava le amanti fuori porta, mi convinsi che alla fin fine in una serata a teatro non ci fosse nulla di comprometente, nulla di coinvolgente, nulla di rischioso. Del resto, a furia di disillusioni, avevo imparato la faticosa arte del distacco e il pieno controllo dell'emotività. Tre ore dopo stavamo limonando nella sua auto. Due giorni dopo avevamo iniziato una relazione. Quattro giorni dopo ero la sua amante. Una settimana dopo lui mi aveva detto: «La lascio!».

Perché Mario e Corinne stavano ancora insieme e, come premesso, dovevano pure sposarsi di lì a pochi mesi. Facciamo a capirci. Come la maggior parte delle donne che mettono il piede in questo genere di relazioni, io, da Mario, fui convinta di non essere affatto una sfascia-famiglie perché in realtà era già tutto bello che sfasciato.

Non dovevo avere sensi di colpa perché le cose non funzionavano da anni, perché Corinne non lo attirava più sessualmente e dormivano in stanze separate, perché la bambina sarebbe cresciuta più serena senza le loro continue discussioni domestiche, perché lui stava addirittura pensando di farle cambiare editore per i suoi libri, perché il matrimonio era una cosa su cui lei aveva insistito soprattutto per la figlia, ma lui le avrebbe detto che aveva cambiato idea. Anzi, io ero una benedizione del cielo perché gli avevo dato il coraggio di prendere questa decisione e di dare una svolta alla sua vita sentimentale troppo grigia e repressa da anni di abitudine e infelicità. Erano cazzate standard dette da tutti i fedifraghi sposati standard in queste relazioni standard, ma io mi sentivo l'eletta. Quella che lo aveva risvegliato dal coma. Quella che regalava linfa a un ramo secco.

«Guarda che sono le solite cose che dicono gli uomini sposati alle amanti» mi aveva detto la mia amica Veronica davanti a un caffè. «È come il ragazzino che per non farsi interrogare dice che ieri è morta la nonna. O il Pd che per giustificare lo sfascio dice che è colpa delle fazioni interne. O io che quando ingrasso dico che è colpa dello stress. O quelli che fanno tv di merda e dicono che è colpa del pubblico perché vuole quello. O quelle che si rifanno le tette e dicono che sono cresciute per colpa degli ormoni. Ecco, Mario Rinaldi è Anna Falchi, lo capisci?»

Annuivo, le davo ragione, promettevo di dargli una scadenza ravvicinata per lasciare la moglie e poi, cinque minuti dopo, ero al telefono con lui che mi spiegava come bisognasse aspettare il momento giusto. Quello per dirlo a Corinne con tatto. Naturalmente il momento giusto non arrivava mai. Una settimana era meglio aspettare la prossima perché la bambina iniziava la materna. Poi era meglio la prossima perché la bambina aveva problemi di adattamento alla materna. Poi perché le cambiavano la materna. Poi Corinne aveva il libro in uscita. Poi doveva sistemare alcuni documenti per evitare che lei gli togliesse la casa. Poi iniziarono le disgrazie familiari. Zie di Corinne che morivano come mosche, sua madre che si rompeva una gamba salendo su uno sgabello per decorare l'albero di Natale, una cugina picchiata dal marito, il fratello che aveva contratto la malaria in Namibia... finché tutti i parenti, compresi quelli emigrati sessant'anni prima in Germania, si esaurirono e Mario, a ormai due mesi dal matrimonio che comunque a suo dire avrebbe fatto saltare anche il giorno prima, passò a darmi l'ultima, drammatica, cattiva notizia: Corinne era malata di cuore. Lo aveva scoperto per caso, rincorrendo un tram in cui aveva dimenticato la borsa. Dopo pochi passi era stramazzata al suolo, ansimando. La stenosi acuta diagnosticata il giorno dopo la condannava a vivere risparmiando il più possibile gli sforzi e a un'aspettativa di vita decisamente esigua.

«Vabbe', le starai vicino comunque, le pagherai una donna di servizio in più che le impedisca di affaticarsi. Del resto è fortunata a fare un lavoro che richiede sedentarietà...» lo rassicurai io.

«No, non hai capito. Il dottore mi ha raccomandato di non stressarla per alcuna ragione in questa fase di accettazione della malattia... Aspettiamo almeno un mese.»

«Sì, ma tra due mesi c'è il matrimonio.»

«Tesoro, io ti amo e la lascerò, ma tu devi comprendere la situazione...»

«Io la comprendo ma ieri al tg hanno detto che il vostro matrimonio in Puglia sarà più faraonico di quello di Justin Timberlake, fra tre mesi esce il nuovo libro di Corinne pubblicato dalla tua casa editrice, a Capodanno siete andati alle Maldive perché la bambina aveva bisogno di respirare iodio su consiglio del pediatra e quando mi hai detto che quella paparazzata in cui sembra che tu la limoni in spiaggia in realtà aveva un'angolazione ingannevole e le stavi solo sistemando il boccaglio per lo snorkeling, io ti ho creduto. Però adesso comincio a essere stanca.»

Naturalmente Mario sapeva convincermi della sua buonafede. Anzi, dell'immensa sensibilità tipica dell'uomo che vuole andare incontro alla sua felicità non facendo morti ma feriti. Quando, giorni dopo, al tg dissero che per il matrimonio di Rinaldi avrebbero bloccato il traffico ad Alberobello e chiuso lo spazio aereo di mezza Puglia per permettere ai jet acrobatici di scrivere i nomi «Corinne e Mario» col fumo rosa in cielo, cominciai ad avere dei sospetti fortissimi. E si esaurì la mia pazienza. In un moto di orgoglio misto a un infantile proposito di ingelosirlo, prenotai una vacanza a Cuba con un'amica. Lo informai la sera prima di partire con il fare gelido di quella che ormai aveva deciso di dare la priorità alla sua vita e che in realtà, se lui non avesse minacciato di lanciarsi nella tromba dell'ascensore se io fossi partita, avrebbe trascorso una settimana di merda. E settimana di merda fu. L'unica attività che mi tenne impegnata a Cuba consistette nello scattare le foto giuste e pubblicarle su Instagram per fargli credere che mi stessi divertendo moltissimo. Che stessi facendo amicizie interessanti. Che in vacanza, lontano da lui, fossi stata colta da un raptus di improvvisa lascivia. Pubblicai una foto in cui nascondevo le tette dentro due noci di cocco. Poi quella in cui un cubano con gli occhi azzurri fingeva di farmi salire sulla sua moto d'acqua (in realtà era quello che mi aveva venduto i cocchi). Poi quella in cui si vedeva un cubano di spalle cenare con me in riva al mare (era sempre quello che mi aveva venduto le noci di cocco a cui avevo dato 50 euro e una camicia decente per lo scatto, visto che sulla spiaggia indossava una canotta con su scritto «I love italian milf»).

Inoltre, postavo aforismi o pensieri criptici o a effetto estrapolati da citazioni.it, da cui Mario potesse dedurre che lo stavo dimenticando. L'affronto più grosso fu il postare la frase della Ferrante: «In quelle ore lunghe fui la sentinella del dolore, vegliai insieme a una nuova folla di parole morte... Devo imparare di nuovo il passo tranquillo di chi crede dove sta andando e perché...» sapendo che lui odiava la Ferrante perché lei lo aveva rifiutato come editore, anni prima.

La verità è che in quella settimana non avevo rivolto la parola a nessuno, neanche alla mia malcapitata amica e la sera mi buttavo a letto alle nove aspettando una sua telefonata in cui mi diceva che non poteva perdermi e vedendomi laggiù, spensierata, lontana da lui, aveva trovato la forza di lasciare Corinne. E invece accadde che l'unico sms che mi arrivò da Mario diceva: «Stai bene abbronzata. Del resto, tu sei sempre bellissima».

Fine. Terminata la vacanza di merda, mi imposi di non cercarlo più. Appena ripresi il mio passaporto ai controlli di Malpensa, lo chiamai. Non mi rispose. Gli scrissi che ero tornata. Non mi rispose. Il giorno dopo, al mio risveglio, trovai un lunghissimo messaggio notturno in cui in buona sostanza Mario mi spiegava che mi amava moltissimo, che ero la donna della sua vita, che non avrebbe mai trovato una come me, che quelli con me erano stati i mesi più belli della sua vita, che mi augurava il meglio, ma che purtroppo aveva deciso di sposarsi perché Corinne era molto malata e poi avevano un rapporto professionale difficile da sciogliere e la bambina e la casa e la suocera e bla bla bla. Mi mollava con un sms inviato in piena notte, il vigliacco. Quello fu il giorno in cui mi rammaricai di saper distinguere il bene dal male, perché la voglia di andare a cercare Corinne e di mostrarle la foto di Mario che stappava il Cristal in mutande nel mio salotto il giorno del mio compleanno fu prepotente. Corinne, però, era incolpevole, con l'ulteriore particolare che non stava bene. In più, la mia vendetta sarebbe stata il gesto meschino e patetico di una delle tante amanti mollate da mariti che tornano diligentemente all'ovile.

Soffrii come un cane, cercai di stare lontana da tv e giornali per non venire aggiornata sulla favolosa lista ospiti del matrimonio Rinaldi, sullo stilista dell'abito di Corinne, sul numero di paggetti del matrimonio, sulla marca di taralli tipici che avrebbe imbandito le tavolate del pranzo, sul trullo di lusso scelto per la prima notte di nozze. Decisi che dovevo leggere, viaggiare, iscrivermi di nuovo in palestra e curare il fisico, oltre allo spirito. Dopo due anni rimisi piede nel piccolo centro fitness dietro la redazione del mio giornale. Il tapis roulant rivolto verso il muro era occupato. Una bionda con una lunga coda di cavallo stava correndo come Usain Bolt a sei metri dall'arrivo, tanto che temetti di vederla risucchiata dal nastro e che fosse risputata fuori con la consistenza della sfoglia per lasagne. Dopo quarantacinque minuti d'attesa, quando ormai avevo sollevato tutti i pesi possibili e cercavo inutilmente di tirar su un carico troppo pesante, coda di cavallo scese dal tapis roulant. E per poco non finii ghigliottinata dal bilanciere. Quella che aveva corso per quarantacinque minuti come Usain Bolt col sette per cento di salita a nove di velocità era Corinne Malerba. Il bilanciere fece un tonfo sordo. Io mi rialzai in un moto di artefatta dignità. Corinne mi sorrise: «Scusa se ti ho fatto aspettare ma fra tre giorni devo entrare in un abito bianco taglia 38, credo tu possa capire!».

«Ovvio… certo che quella velocità… caspita… è impegnativa per… per… il cuore, no?»

«Ah ma io corro da una vita figurati, faccio controlli ogni sei settimane. Il prossimo mese faccio la maratona di New York! Buona palestra!»

E fu così che una storia iniziata a un convegno sulle fake news, finì con una fake news smascherata da un tapis roulant. Afferrai il telefono e con un asciutto, sobrio sms mandai i miei auguri per un felice matrimonio a Mario: «Spero che durante il pranzo di nozze un tarallo ti si pianti di sbieco nella trachea e che tu sopravviva ma con la voce di Luca Laurenti. Addio!».

Nel 2016 nacque la seconda figlia di Mario e Corinne e l'autore di Joe Sgarro firmò con lui un contratto per otto libri e due ricettari a tema «I risotti preferiti del detective più amato d'Italia».

Tutto bene?

Location: marciapiede davanti al portone di una città qualsiasi. Protagonista: una donna qualsiasi.

«È stato fantastico uscire insieme per la prima volta, stasera, lo desideravo da anni, io davvero non ho mai incontrato una come te, sei bellissima, sexyssima, brillantissima, ti sposerei anche domani e farei una famiglia con te, sei perfetta, sei quello che ho sempre cercato. Ti chiamo appena mi sveglio! A domani, amore di una sera, ma già amore di una vita!»

«Anche per me è stato bello. A domani Ale!»

…

«Ciao Ale, tutto ok?»

«Ciao Ale, dovevamo sentirci stamattina ma non ho tue notizie, tutto ok?»

«Ale, ma è successo qualcosa?»

«Ale, sono passati due giorni e non ho capito perché non mi rispondi…»

«Ale, ho fatto qualcosa che non va?»

«Pronto? Fatebenefratelli? Senta volevo sapere se per caso è stato ricoverato o non so, magari è morto un tizio che si chiama Alessandro Gadini, Gadini con la G di Genova…»

Ringraziamenti

Questo libro è nato grazie agli innumerevoli "ma sul serio?" che mi sono sentita dire negli anni dai tanti che hanno ascoltato le mie storie surreali di incontri sventurati con gli uomini.

Ringrazio perciò Petra Loreggian e tutte le amiche che mi hanno regalato consigli e kleenex in abbondanza.

Ringrazio il bellissimo, intelligentissimo, brillantissimo Ivan Mazzoletti, cha compiva gli anni mentre finivo il libro. Ho dimenticato di fargli gli auguri, per cui sto biecamente cercando di riparare.

Ringrazio Niccolò Vecchiotti e Francesco Facchinetti, uomini che amano le donne. E che le rispettano.

Ringrazio la mia famiglia e pure quella del mio fidanzato, perché è splendida.

Marco Travaglio perché, da quando lavoro con lui, io ho ereditato i suoi hater e lui i miei, per cui è un rapporto di scambio, osmosi e reciprocità come pochi me ne sono capitati.

Ringrazio Stefano Feltri, perché «oggi hai 3000 battute», io gliene mando 9230 e lui finge tolleranza.

Ringrazio Rossella Biancardi, perché ha delle borse bellissime. Giulia Castellini che è stata con me quando c'era da combattere. Sabrina Ferilli, donna che recita solo sui set. Milly Carlucci, Giancarlo De Andreis e i miei favolosi colleghi alzapalette. E Claudio Santori, che tra il mio libro precedente e questo, ha trovato moglie. Ora deve solo meritarsela, anche solo per evitare di diventare il capitolo 1 di un libro come questo.

Infine, ringrazio tutte le persone che sui social sostengono le mie battaglie quotidiane per rendere il web un posto migliore. Forse perderemo, ma noi ci abbiamo provato.

Indice

Finito di stampare nel mese di giugno 2018
Presso 🦁 Grafica Veneta S.p.A.
Via Malcanton, 2 – Trebaseleghe (PD)